“いまの世界”がわかる

# 哲学&近現代史

## プーチン、全体主義、保守主義

茂木誠　松本誠一郎

019

# はじめに

「一人語り」をモノローグ monologue といいます。

**mono「一人の」+ logos「言葉」**

多くの書物はモノローグで書かれています。もちろん書き手は読者を想定し、読者に語りかける形式をとるかもしれません。しかし、想像上の読者は反論することも、質問することもできません。モノローグは結局、書き手の自己満足に終わってしまうことが少なくありません。

これに対して「二人語り」をダイアローグ dialogue といいます。

**dia「二人の」+ logos「言葉」**

哲学者プラトンは、師のソクラテスを作品の中に登場させ、他者との対話という形でその思想を語らせるという「対話篇」の形式を好みました。

仏典の多くも仏陀（ブッダ）と弟子との対話という形をとっていますし、論語もそうですね。思いもよらない質問が浴びせられ、それにどう答えるかという緊張関係が生まれるのがダイアローグの面白さです。「よき聞き手」に恵まれれば、議論は思いもしない方向に展開し、新たな発見が生まれるでしょう。

教育系ユーチューバーの「ゆめラジオ」さんこと松本誠一郎先生は、ドイツで哲学・美学を学ばれ、ご専門の哲学はもちろん、日本史から宗教、文学、Ｊポップ、時事問題に至るまであらゆる話題を短い動画で毎日発信されています。

その「ゆめラジオ」に私がお招きいただき、数回にわたって対談させていただいた内容が、本書のベースとなっています。

振り返ってみると、20世紀は「全体主義と世界大戦の時代」でした。一党独裁、人権抑圧の官僚国家はソヴィエト・ロシア（ソ連）に生まれ、イタリアやドイツに広まり、日本もそれらの強い影響を受けました。

第二次世界大戦では日独伊が敗れましたが、連合国側に立ったソ連が生き残り、中国と北朝鮮、東欧諸国に全体主義を広めました。

冷戦終結とソ連崩壊で、人類は全体主義から解放された……というのは幻想でした。中国が全体主義体制を維持したまま市場経済へ移行するという離れ業を成し遂げ、ロシアでは強権的なプーチン政権が出現しました。

さらに衝撃的なのは、全体主義に抗う「自由の砦」だったはずのアメリカで、特定政党と結びついた大手メディアとビッグテック（巨大IT企業）による情報統制が進み、もはや何が真実なのかわからなくなってしまったことです。2020年のアメリカ大統領選挙をめぐる混乱は、そのことをはっきりと見せてくれました。

私たちが生きている〝2020年代の世界〟を一言で表現すれば、「全体主義の復活」「デジタル全体主義の出現」となるでしょう。

私と松本先生とはもちろんスタンスが違います。松本先生はリバタリアン（完全な自由主義者）ですし、私は保守主義者を自認しています。その微妙なズレをお楽しみいただければと思います。

けれども、全体主義と戦うという点においては、完全に立場が一致しているのです。

さらには全体主義の波に抗うため、リバタリアンと保守主義者は手を組めるのか？
という究極のテーマにまで話が及ぶでしょう。

それでは、始めましょう！

茂木 誠

CONTENTS

## 二限目 〝社会主義〟の歴史と破壊力

## 三限目 21世紀は〝全体主義〟の時代になる!?

※本文中の敬称につきましては一部省略いたしました。役職は当時のものです。

# 開講の挨拶――「歴史」と「哲学」で、本物の教養を身につけよう

複雑怪奇な国際情勢を理解したいなら、「歴史」と「哲学」を学ぶことが不可欠です。当然、政治家やビジネスエリートにもこの二つの資質は求められます。

「現在の国際社会の動向は？」「表には出ない事件の真相は？」「これから世界はどこへ向かうのか？」――これらを正しく理解し、フェイク・ニュースを見抜く目を養うために、各国の指導者や政策担当者がまず意識していることが歴史と哲学なのです。

しかし日本の教育で「歴史」と言えばただの暗記科目にすぎず、大学受験が終わるとすぐに忘れてしまうもの。哲学に至っては高校で「倫理」を履修しない限り、習うことはありません。大学でも歴史や哲学の授業はあるものの、その内容はあまりに細分化されていて何のことかわからないというのが現状でしょう。

ましてや**歴史と哲学から国際情勢を斬る**なんて、思いもつかないことではないでしょうか……。

世界標準で現代を理解したいと思うとき、歴史と哲学を学ぶことは避けて通れません。

一方、日本の人文教育はお粗末なもの。日本の政治家が世界レベルの言葉を発することができない理由も、人文教育の貧困に原因があるでしょう。

そんな逼塞した状況に風穴を開けるのが本講義です。近現代史を学びたい、世界情勢を理解したいと思う読者のみなさんのために、この書はあります。

茂木誠先生が5回の講義で、広い視点から歴史と哲学を語ります。

一限目の**プーチン**を皮切りに、二限目は**社会主義**、三限目は**全体主義**、四限目は**保守主義**、そして五限目の**リバタリアニズムと武士道**まで、錯綜した国際情勢を読み解く鍵を茂木先生が多面的に解説します。私は聞き役となり、茂木先生の話に耳を傾けながら理解を深め、読者のみなさんにも同じ体験をしていただこうと思っています。

歴史や哲学に興味がある方だけでなく、起業家や政治家を志す若者にもぜひ聞いてほしい、碩学の講義です。

それでは、茂木先生が語る〝知の世界〟へ分け入っていきましょう——。

松本誠一郎

一限目

# プーチンは独裁者？　愛国者？

PART 1

# プーチンの生い立ち

## スパイに憧れていたプーチン少年

**松本**　一限目のテーマは「プーチンは独裁者？　愛国者？」です。今、良くも悪くも世界中の人々が注目している、ロシア大統領ウラジーミル・プーチン。この人物を、私たちはどう考えていったらいいのか……。茂木先生、どのあたりから話を始めましょうか？

**茂木**　2022年に始まったウクライナ戦争を論じても仕方がないと思います。というのは、当事者両国はもちろん、関連各国の情報戦が凄まじいので、何が本当なのかがわからない。どちらが勝っているのかも、正確には判断できないからです。ですから、この講義ではウクライナ戦争については直接的には触れず、プーチンを動かしている根本的な思想を深掘りしたいと思います。

**松本**　わかりました、プーチンを動かしている「思想」あるいは「哲学」ですね。

さて、プーチンについて読者のみなさんもある程度のことはご存じかと思うのですが、今一度振り返っておきますと、彼はＫＧＢ（ソ連国家保安委員会）出身だということ。ＫＧＢはソ連の諜報機関ですね。そして、かつて兄弟国であったソ連と東ドイツ、その東ドイツにプーチンはＫＧＢのエージェントとして派遣されていました。

**茂木**　ですから、プーチンはドイツ語が非常に堪能です。ドイツのアンゲラ・メルケル首相とも通訳なしで喋っていたようです。

**松本**　ＫＧＢ時代にソ連崩壊があり、そしてこのことがプーチンにとっての最初の蹉跌、つまり試練だったとよく言われます。プーチンが諜報機関出身であるということは、彼のその後の政治家としての足跡にどのような影響を与えているのでしょうか？

**茂木**　僕が興味を持っているのは「プーチンは共産主義だったのか？」という点です。確かに、彼の父親は共産党員でした。独ソ戦（１９４１〜45）を戦って、傷痍軍人となった。

ただしプーチンは、少年期から「共産主義」というより「スパイ」に憧れていました。彼は中学生の時にKGBを訪れて、「どうすればKGBに入れますか？」と聞いている(笑)。

**松本**　見どころのある中学生だ(笑)。

**茂木**　そのとき対応したKGBの職員に、こう言われたそうです。「KGBは外から来る人間は一切信用しない。もし君が使える人材だったら、こちらから声をかける。だからそれまでは、スポーツや勉強を頑張りなさい」と。それで14歳のプーチン少年はどうしたかというと、その教えを守って「体を鍛えよう」となった。彼はすごく小柄だったので、小柄でも通用する運動は何かと考え、柔道を選んで精進し、そのまま高校、大学へと進みました。そして、どうやら大学を出る頃に、KGBのほうから接触があったようです。

**松本**　ということは、「面白そうな中学生が来た」という情報がKGB内で引き継がれていたのでしょうか？

**茂木**　推測にすぎませんが、KGBはプーチン少年をリサーチしていたのでしょうね。

**松本**　なるほど、諜報機関というのはそのくらいの能力はあると思います。相手が中学生であっても追跡を開始するわけですね。

**茂木**　要するに「見どころがある」と。プーチンはKGBのレニングラード（サンクトペテルブルク）支部に入って、諜報の勉強を始めました。そして、先ほど松本先生がおっしゃったように、東ドイツに派遣された。

**松本**　プーチンがスパイになりたいと思った1つのきっかけは、彼が小学生高学年か中学生の頃に観た『スパイ・ゾルゲ』という映画だった、と聞いたことがあるのですが。

ゾルゲ事件は戦前の東京を舞台にした、近現代史でまれ稀に見るスパイ事件です。ドイツ人スパイであるゾルゲがコミンテルンからの指令で、日本政府の動向を探っていました。

**茂木**　その逸話は知りませんでした。

**松本**　プーチンが中学生前後の頃ですから1960年代です。岸惠子が一世風靡(ふうび)していた頃で、彼女が石井花子を演じています。

**茂木**　リヒャルト・ゾルゲの愛人だった石井花子を岸惠子が演じたのですか。それは、日本映画？

**松本**　1961年日本公開の日仏合作映画です。『スパイ・ゾルゲ』※は2003年にも映画化されていますが、1961年版ですから白黒映画です。それを中学生前後だったプーチン少年が観て感動したらしくて。それで「僕はKGBに行くんだ！」と、そういうことがあったらしいのです。

※『スパイ・ゾルゲ　真珠湾前夜』
フランス語の題名は「Qui êtes-vous, Monsieur Sorge?」（ゾルゲ氏よ、あなたは誰）

**茂木**　そうですか、スパイ映画に感動した少年の夢が叶ったわけですね。念願叶ったプーチン青年は東ドイツに派遣され、その地でNATO（北大西洋条約機構）に関する情報収集をメインの仕事としていたようです。

**松本**　NATOの情報収集……だから、プーチンは欧米に詳しいのですね。

**茂木**　余談ですが、米大統領ロナルド・レーガンがモスクワを訪問したときに、赤の広場で彼がロシア人の観光客と喋っている写真があって、そこにプーチンが写っています。親子連れの観光客を装い、レーガンに接近しているという証拠写真です。

**松本**　私の興味は、ドイツ語も練達するようになったプーチンが「ドイツ哲学」を勉強していたのか否かです。彼がドイツ時代に、どういうドイツ哲学に触れていたのかがまったく記録がなくて……。ヘーゲルに目覚めたとか、ニーチェを愛読していたとか、であれば後のプーチンの思想はこのときつくられていたのか、という手がかりにもなるのですが。

**茂木**　ドイツ語を読めるのですから、当然、プーチンはドイツ哲学に何かしらの影響を受けているでしょうね。彼の経歴を追ってみても、ゴリゴリの共産主義者という感じはしない。

**松本**　ええ、なんというか、資本主義の良し悪しもわかるといった、そういう人物像が浮かび上がってきます。

**茂木**　はい、僕もそう思います。

## 「KGB諜報員」から「政治家」の道へ

**松本**　プーチンの経歴に話を戻しましょう。東ドイツの崩壊後、プーチンはレニングラード、いまのサンクトペテルブルクに帰ってきました。ところが今度はソ連が崩壊してロシアになり、彼はなんとタクシー運転士までやって生計を立てていたそうです。その後、レニングラード大学の恩師が市長になったときに声をかけられ、プーチンは政治の世界に入った、と一般的にはいわれています。

**茂木**　アナトリー・サプチャークですね。ソ連崩壊の年（1991）に、サプチャークがレニングラード市長になっています。

**松本**　はい。そしてプーチンは、サプチャークのもとで手腕を発揮していくうちに有名になっていきました。当時の大統領はミハイル・ゴルバチョフからボリス・エリツィンに代わっていたのですが、このエリツィンに若きプーチンが見出(みいだ)されていく。これは90年代の「プーチンの飛躍」の一番大きな要素だったように思います。

**茂木**　この「エリツィン時代」が、現在のプーチンの大きな原動力になっていると、僕は見ています。急進改革派のエリツィン政権は、共産主義に対する反動から、アメリカ型の自由主義経済を信奉していました。保険も年金もカットし、国営企業の売却を進めました。

**松本**　「オリガルヒ」が大活躍していた頃ですね。

**茂木**　はい。オリガルヒとは、旧ソ連諸国の資本主義化（主に、国有企業の民営化）の過程で形成された新興財閥のことですが、彼らが政治的にも大きな影響力を持つようになり、ロシアの政財界を支配していました。

**松本**　まだ力がなかったプーチンは、オリガルヒを苦々しく横目で見ていた、と推測できます。

**茂木**　当時は共産主義の反動で、むき出しのアメリカ的な市場経済がドーンと入ってきて、ロシアの一般大衆は貧困にあえいでいました。社会主義は最低限の生活を保障していたのですがそれもなくなり、おじいちゃん・おばあちゃんが路頭に迷うようになってしまった。その一方で、新興財閥のオリガルヒがいて外国資本と結託して富を独占している……。だから資本主義、というより世界の市場統合と弱肉強食を是とするグローバリズムの一番ダメな部分をプーチンは見ていたのです。

**松本**　グローバリズムがいかに悲惨な結果をもたらすか、というのを40代のプーチンはジッと見ていた。それが、のちに自分が権力を握ったときにオリガルヒに対してどういう態度をとるべきかの指針ともなっていった。

**茂木**　それはそうなのですが、プーチンはエリツィン政権のときに「国有財産の民営化」に関する仕事をやっています。

**松本**　ということは、プーチンはオリガルヒに手を貸していたわけですね。

**茂木**　手を貸したというより、彼らを監督する立場にいたのでプーチンは裏側を見てしまったのでしょう。1997年に、プーチンは論文で「市場経済移行期における資源の戦略的な計画」を発表します。資源については「民営化ではなく、国家が管理するべきだ」ということを、この頃から彼は主張しています。

**松本**　エリツィン時代のオリガルヒのやりたい放題を見て、これではダメだと思ったということですよね。

**茂木**　その通りです。そして、もう一点。ロシア連邦の領土であるカフカス（コーカサス）地方でチェチェン共和国の独立運動（第一次チェチェン紛争／1994〜96）が起こります。

チェチェン人はイスラム教徒ですが、バクー油田が近いので利権の巣窟です。エリツィンとしてはチェチェンを手放すことはできない。チェチェン独立派を取り締まるために、KGBの力が必要でした。だから、エリツィンのやることは矛盾していたのです。「共産党の独裁に反対する」「ロシア民主化」「KGB解体」などと言っていたのに、チェチェンの独立運動が起こるとKGBに頼るという……。このような状況下で、さらにプーチンの活躍の場ができたということです。

**松本**　ということは、プーチンはいいポジションにいたということですね。時代の流れに乗ったというか。

**茂木**　はい。プーチンはどんどん出世して、1999年に第一副首相。そして、わずか1週間後に首相になりました。その後、チェチェン過激派がやったと言われているテロが起こります。高層アパートが連続爆破されて、確か300人ぐらい亡くなったのですが、実はよくわかっていない部分があります。それをプーチン首相が「これはチェチェン過激派の犯行だ」と断定して、いったん独立運動が沈静化していたチェチェンに対して、猛烈な空爆を始めます。これが、第二次チェチェン紛争（1999〜2009）です。

PART 2

# 大統領に上りつめたプーチン

## プーチンはロシアの救世主？

**松本**　ＰＡＲＴ１では、ＫＧＢ時代諜報活動に勤しむドイツ語も流暢なプーチンが、ソ連崩壊後レニングラードに帰ってきて市長を手伝い、そこからエリツィンに見出されて首相になっていった……というお話でした。

ちょうど21世紀になった頃にプーチンは権力を握ります。「首相から大統領に任命される」――これは大きな飛躍だったと思います。茂木先生、このあたりの事情はどのようなものだったのでしょうか。それだけエリツィンから信頼されていたということでしょうか?

**茂木** エリツィンが心臓発作を起こしたときに、プーチンを後継者に指名しました。エリツィンから見ると、自分に忠誠を誓うKGBの有能な若手幹部の「プーチンにやらせよう」ということだったのでしょう。実際に、プーチンはエリツィンにはまったく逆らっていない。

**松本** なるほど。もうひとつよく言われるのは、エリツィンの醜聞(しゅうぶん)を「プーチンがKGBの力を使ってもみ消した」ということですね。そうなると、エリツィンは部下のプーチンに頭が上がらなくなります。

**茂木** 大統領の座に就くまで、プーチンはうまく立ち回りました。

**松本** 大統領就任後、まずプーチンはテロリズムに厳しい対応をしました。2000年代に、プーチンの下で大規模なテロリストの粛清がありました。

**茂木** そして、プーチンにとって非常に都合が良かったのは2001年の「9・11」、アメリカ同時多発テロ事件でした。米大統領のブッシュ・ジュニア(ジョージ・W・ブッシュ)が「対テロ戦争」を発動すると、プーチンはすかさず「わがロシアも対テロ戦争を行う」と宣言しました。だから、あのとき実は、米露は良好な関係だったのです。

**松本**　プーチンとブッシュが「See you（またね）」と挨拶を交わした映像も残っていますね。

**茂木**　その一方で、前回少しお話ししたように、プーチンは新興財団オリガルヒに対する締め付けをじわじわとやっていった。

**松本**　いまでも覚えているのは、モスクワで劇場占拠事件があったことです。チェチェンの武装組織がモスクワの劇場を占拠したときに、外側から毒ガスを中に送り込んで、テロリストたちをガスで亡き者にした……そんな映像が衝撃的でした。

**茂木**　あれは一種の神経ガスで、一瞬で意識を失うようなガスを撒（ま）いたのです。それで犯行グループも、人質になっている民間人もみんなブッ倒れてしまった。制圧はしたのですが、民間人の何人かは呼吸困難で亡くなりました。

**松本**　それでも、テロリストに対するプーチンのこの強固な姿勢は、ロシアではおおむね好意的に受け止められたようですね。「新しいリーダーは、プーチンしかいない」と。

**茂木**　それはまさに、「なぜプーチンがあれだけの権力を握れたのか」ということの2本柱のひとつです。1つの柱が、いわゆる汚職の摘発、オリガルヒを解体するということ。そしてもう1つの柱が、テロとの戦いで治安を回復するということ。だから、エリツィン時代のカオスを経験したロシア人からすれば、プーチンは本当に救世主のように見えたのです。

**松本** 確かに、エリツィン時代のロシアは酷かったようですね。

**茂木** ええ、いまのロシア人で「エリツィン時代が良かった」という人は皆無でしょう。

**松本** 同感です。ロシア人にとっては、恥ずかしい時代だったのかもしれません。「石鹸がないから体が洗えない」ということを、1990年代にロシアの人々は言っていましたから……。

## ロシアはいまだに「途上国」である

**松本** プーチンの成果として、2000年代のロシア経済を復活させたことも挙げられます。ある種の市場経済を導入しつつも、基幹産業は国営に戻します。ミハイル・ホドルコフスキーやボリス・ベレゾフスキーといったオリガルヒたちを追放したことも、一般大衆だけでなくジャーナリストたちにも拍手で受け止められた、そう聞いたことがあります。

**茂木** 良い意味で、開発独裁的な政権だったのでしょう。かつての韓国とか台湾とかインドネシアのように。

**松本** 話が少しずれますが、そういう開発独裁をやっている国に「自由主義ではない。遅れている」と、自由主義を達成した国から批判しても仕方がない面があると思うのですが。

**茂木** その通りです。各国にはそれぞれの発展段階があります。民間企業が成長をしていない段階で自由化すれば、それはすべて外資に食われてしまいます。だから、明治期の日本も関税自主権の回復に力をつくした。あれは要するに、外資の規制です。外国から国内の産業を守る努力は、どの国でもやってきたことです。

**松本** ここまでの講義を聞いていると、プーチンはロシアの正当なナショナリストという気がしてきました。そしてそのプーチンが、2022年にウクライナへ軍事侵攻をし、世界に衝撃を与えているのはなぜか。

**茂木** まず、ロシアを先進国と思わないほうがいいでしょう。20世紀の大事な時間を、共産主義という無駄なことに使ったがために、ロシアの民間企業がまったく成長できなくなってしまった。それを西側並みに経済発展させるためには、やはりある程度の国家主導の経済が必要です。ロシアはまだ、そういう段階なのです。

**松本** なるほど。ただ「プーチンは世界史の流れを100年前に戻した」という批判もあります。

**茂木** 欧米先進国からすればそう見える、ということだと思います。先ほどお話ししたように、各国にはそれぞれの発展段階がありますから。

**松本** とはいえ、西側としては「ロシアは20世紀を無駄にした」ということは言わなければいけないでしょう。その意味でいえば、共産主義の爪痕というものが経済成長やテクノロジー開発にも悪影響を与え、国全体が停滞した……。しかも軍事力だけは突出するという、いびつな国家構造になってきているので、いまのロシアというのはとても特殊です。

**茂木** そこは、ロシアの置かれた地政学的な弱みです。あまりにも長すぎる国境線、それを守ろうと思ったら、強力な軍隊が不可欠です。隣国に攻め込まれる前に、予防措置としてこっちから出ていくということをやらざるを得ない。

**松本**　その「予防的に出ていく」というのが、もう世界史的には認められなくなって久しいのに、それをあえていまやっているからプーチンの政策は時代錯誤に見えるのですね。

**茂木**　プーチンは、最初にチェチェン、次にジョージア、その次にクリミア、そしていまのウクライナ東部、という4つの紛争・戦争をやって国際非難を浴びているのですが、「これは合理的な判断である」「プーチンは頭がおかしくなったわけではない」という見方もあります。

例えば、アメリカの国際関係学者ジョン・ミアシャイマーは「国家というものは生き残るためにあるのであって、身を守るために武装し、必要に応じて戦争をするのは当然である、そこには善も悪もない」と言っています。

**松本**　それを地で行っているのがプーチンであるならば、そのプーチンに市民道徳的な善悪を当てはめようとしてもナンセンスかもしれないですね。

**茂木**　その通りなのですが、それをずっとやっていたのが第二次世界大戦（1939〜45）までの世界――いわゆる「帝国主義」の時代だったのです。その反省のもとに、曲がりなりにも「国際連合」というものをつくった。「もう予防戦争的なことをやってはいけません」「安保理決議がなかったら戦争はできません」ということを取り決めたわけです。しかもロシアはその安保理事会の常任理事国、五大国の一つとして拒否権などの特権も与えられている。

プーチンはウクライナ侵攻によって、それらの取り決めを「ちゃぶ台返し」してしまった。この結果、ロシアは「侵略国家」の汚名を着せられることになった。その点に関しては、プーチンの失策だったと私は考えます。私は「プーチンが発狂した」とは考えていないので、このようなデメリットを上回るメリットが得られると判断して、ウクライナ侵攻に踏み切ったのでしょうが……。はたしてその判断は正しかったのか、歴史に裁かれると思います。

PART 3

# プーチンの思想とドイツ哲学

## ロシア人の内面にある「恐怖心」

**松本**　ＰＡＲＴ３では、プーチンの思想と彼が影響を受けたであろうドイツ哲学についてお話ししていきたいと思います。まず、プーチンの政策はロシアの風土と何かしらの関係があるのではないか。茂木先生、これまでのロシア史から見て、ロシア人は強力な指導者が好きなのでしょうか？

**茂木**　ロシアにおける強権政治と拡張主義の根底にあるのは、「恐怖心」だと思います。

歴史上、どれだけの侵略をロシアが受けてきたか。例えば、モンゴル人から、ポーランド人から、ドイツ人から……。まるで虐待されて育った子供のように「強くなりたい！」という、駆り立てる気持ちがロシア人の内面にあると思うのです。

**松本**　実際、プーチンの演説を聞いていると、強気な発言をしているかと思いきや、「ロシアの人口は実はそれほど多くない」とか「決して多くない人口で広大な国土を守らなくてはならない」とか、あるいは「軍事力には限界がある」とか、弱気ともとれるようなことを吐露しています。それらの発言は、ロシア人のリアリズムなのかもしれませんね。

**茂木**　「日本は少子高齢化で、半世紀後にどうなってしまうのか」――という心配をしている人たちがいますが、それを言ったら「半世紀後のロシアは、そもそも国自体があるのか」――。「今、何か手を打たないと、この国がなくなってしまう」という恐怖心が、プーチンの心の奥底にはあるはずです。

**松本**　なるほど。「恐怖心」がプーチンを突き動かしている大本であるということですね。

## ヘーゲル哲学の「国家論」にみる「帝国主義」

**松本**　それではここから、哲学的なお話に入っていきたいと思います。

近代哲学の中で「国家論」といえば、ドイツの哲学者フリードリヒ・ヘーゲルです。ヘーゲルは国家について、「国家とは精神を体現したものであり、個人よりも上位概念であり、たとえ個人が踏みつぶされることがあっても、国家が自らにとって善と思うことは成し遂げられねばならない」としました。このような、個人の実存に重きを置かない哲学を見た場合、現在のプーチンが行っている政策も、実はそれほど違和感がないようにも見えます。

ただしヘーゲルが活躍したのは主に19世紀前半であり、その哲学に則(のっと)って19世紀後半から帝国主義が始まったということを考えれば、プーチンは時代遅れなのかもしれません。このようなヘーゲル哲学、これを体現したかのようなプーチンを見た場合、「戦争は善悪を語るものではない」とよく言われますが、茂木先生はどのようにお考えでしょうか？

**茂木**　ヘーゲル前後の19世紀のドイツ哲学は、ドイツが置かれていた歴史的な段階を踏まえたものだと思います。当時のドイツは本当に弱小国家で、小さな国の寄せ集めでした。何十という小国があり、その中で大きめな国がプロイセンでした。隣にフランスという大国があり、向こうにイギリスがあった。そのフランスで革命（「フランス革命」1789〜99）が起きます。隣国の混乱を収めようとプロイセン＋オーストリアが出兵しますが、ボコボコにやられてしまいます。反対に、ナポレオン・ボナパルトが率いるフランス革命軍に攻め込まれてしまい、全ドイツの国々が蹂躙（じゅうりん）されます。

それからもう1つは、海の向こうのイギリスで起こっていた「産業革命」です。これにより、経済において圧倒的にイギリスが優勢となり、そのまま自由貿易をしたらドイツ国内の産業が育たない、という事態になりました。

このフランス革命とイギリスの産業革命という衝撃にドイツが立ち向かうときに、「バラバラではダメだから、ひとつにまとまろう」という機運が高まります。そして、まずは経済的にまとまろうとなった。フリードリヒ・リストが唱えた「ドイツ関税同盟」です。次に、政治的にまとめたのがオットー・フォン・ビスマルクです。

今風に言うと、当時のドイツは、グローバリズムにさらされていたのです。思想的にはフランス革命、経済的にはイギリスの産業革命ですが、それに対抗するためには「ドイツ国家」という防波堤をつくるしかなかった。だから当時のドイツ哲学は、非常に国家主義的になっていったのです。

**松本**　私も、なぜヘーゲルは個人をないがしろにして、国家を重んじるのだろうと疑問でした。ヘーゲル哲学は、後の19世紀後半の帝国主義、20世紀の全体主義へと繋(つな)がる思想になってしまうのですが、「当時のドイツが弱小国だった」という補助線を引くと理解できます。

**茂木**　もっとはっきり言うと、当時のドイツは途上国でした。ビスマルクがやったことは、開発独裁の先がけです。その意味では、同じ途上国であるロシアにとって、ドイツ哲学は非常に親和性が高い。

**松本**　ドイツが19世紀にやっていたようなことを、ロシアは20世紀、21世紀と遅ればせながらやっている……。

**茂木**　１９１７年にロシア帝国を崩壊させたロシア革命も、グローバリズムに対抗するという意味があったと思います。帝政時代にロシアに入り込んでいた外資の規制をやり、国営化をやり、と。ところが計画経済は大失敗に終わってしまい、約1世紀という時間を、ロシアは無駄にしてしまいます。

**松本** やはりロシアにとって社会主義は停滞でしかなかったのですね。

## プーチンとドイツ哲学者の共通点

**松本** ヘーゲルの後輩にアルトゥール・ショーペンハウアーという、人間嫌いの変わった哲学者がいます。彼はベルリン大学で哲学の講義を持つときに、ヘーゲル先輩と同じ時間に自分の授業をぶち込んで、学生を奪おうと思ったらボロ負けしたという、残念なエピソードもある人物です。

ショーペンハウアーは「生物はそもそも意志である」という考え方を、『意志と表象としての世界』の中で提案します。その「意志」に大感激したのが、19世紀後半のフリードリヒ・ニーチェだったという、哲学の流れがあります。そして、「力への意志」というニーチェの言葉も、やはり当時のドイツの後進性から捉(とら)えたほうがいいのでしょうか？

**茂木**　そう思います。「力への意志」という思想は、隣国のフランスからは出てこないでしょう。

**松本**　はい、フランス人と話をしていると、「ニーチェ」という名前が出たとたんに、「野蛮だね」「遅れているね」という感想しか出てきません。先ほどのヘーゲル哲学といい、ニーチェ哲学といい、個人の思想という側面に当時のドイツという国が置かれていた状況を反映していた、と見たほうがよさそうですね。

**茂木**　「野蛮」という言葉を学問的に言い換えると、「生物学的」になる。つまり、ドイツ人は生存そのものが脅かされていたから、そこに立脚した哲学が出てきたのだと思います。

**松本**　茂木先生の言葉を借りれば、19世紀の観念論からニーチェへと移っていくドイツ哲学の流れは、ドイツ人の「恐怖心」の現れであった、と。そういった視点から現在のプーチンを見てみると、1世紀以上前の独哲学者たちと共通する面があります。プーチンとドイツ語という結びつきは運命的ですらありますね。

**茂木**　今回のウクライナへの侵攻というロシアの行動に対して、西側諸国が制裁を呼びかけたのですが、実は途上国のほとんどが賛同していません。それはやはり、途上国がロシアに共感してしまう部分があるからでしょう。西側のいう綺麗事をやっていたら自分たちがやられてしまう、と。

**松本** その意味でいえば、ヘーゲル哲学はナショナリズムであり、ニーチェ哲学も捉えにくいところはあるけれどグローバリズムでないことは確かです。そう考えると、今回のウクライナ紛争というのは、新しい南北問題ではないか――。

**茂木** グローバリズムに立ち向かうときに、個人では負けてしまう。グローバリズムから守ってくれるのは国家しかない、ということをロシアや途上国はやっている。それは私たち日本人も、明治維新以降にやってきたことです。

強い人は個人主義でもいい。強い人はグローバリズムの世界でも生き残れますから。でも、ほとんどの人は弱い。その弱き人たちを守るためには、国家の枠組みが必要である、と僕は思うのです。

**松本** プーチンはナショナリストであると同時に、ロシアの伝統に繋がる保守主義者でもあり、だからロシア国民から常に一定の支持を受けてきたのだと思います。

**茂木** 保守主義についてはあとでまた論じますが、イギリスの保守主義、アメリカの保守主義、日本の保守主義、ロシアの保守主義、みな違います。

# 二限目

# 〝社会主義〟の歴史と破壊力

PART 1

# 「社会主義」前夜

## 社会に流動性がなくなると黄信号

**松本**　二限目のテーマは、「社会主義の歴史と破壊力」です。社会主義（socialism）は、実は現在の国際情勢を読み解く上でとても重要な思想です。したがって、この問題について考えておくことはとても意味のあることだと思っているのですが、例えば東京大学の入試などで社会主義の通史は出題されたりするのでしょうか？

**茂木**　いまだかつて、社会主義の通史が試験に出たことはありません。

**松本**　社会主義を支持する東大教授は多いはずですが、試験には出さないのですね。では、いつか出るかもしれないということで（笑）、茂木先生、講義をお願いします。

**茂木**　はじめに、僕の個人的な思い出話をさせてください。僕は学校の科目の得意・不得意が極端な子供でした。一番不得意で、絶対にこの時間は避けたいというくらい嫌な科目が保健体育でした。走れない、泳げない、投げられない。体育のある日はとても憂鬱でした。とくに運動会は地獄です。「雨降れ、雨降れ」と、てるてる坊主を逆さに吊るしていました。

精一杯頑張っているのに、僕は速くは走れない。対して、もともと足の速い子がいます。そこに成績をつけるというのは「差別」ですよね。子供心に「差別をなくしてほしい」と思っていました。例えば、保健体育の授業を1度も休まなければ、平均の「3」は必ずもらえるとか。運動会も、参加するだけでいいではないか。「参加することに意義がある」と、近代オリンピックの父・クーベルタン男爵も言っています。でも、僕が子供の頃はそうではなかった。

ところが近年、一部の小学校では「一等賞」「二等賞」というのをやめて、すべて「頑張ったで賞」となっているところもあるそうです。これが社会主義です。「あらゆる差別を認めない。みんな平等にすべきだ」という思想です。

ところが実際には、個人個人に能力の差というものがある。大人になって、大金を稼ぎまくる人もいるし、生活保護を受けないと生きていけない人もいる。そういう状態を放置すれば、ますます格差が広がっていく。そこで、資産家から強制的に多くの税金を徴収したり、場合によっては資産を没収したりして、「生活保護を受けるような弱者に分配しよう」と主張するのが社会主義者です。

これは、逆に言うと「能力のある人から、自由に金儲け（かねもう）けをする権利を奪う」ということになります。つまり、平等と自由は相反する。社会主義の根本思想は「自由を制限し、平等を貫徹する」ことだと僕は思っています。

**松本**　社会主義に自由はない、ということでしょうか？

**茂木**　原理的に、社会主義に自由はありません。

**松本**　とはいえ、子供の頃「差別をなくしてほしい」と思っていた茂木少年は、社会主義を志向していたと言えるわけですね。

**茂木**　そうかもしれません。ただし、保健体育限定の社会主義者ですが（笑）。

**松本**　茂木少年が保健体育の授業にそう感じたように、人それぞれ「不公平」を感じるときはあります。「たいした努力もしていないのに、なぜあいつは成績がいいのだろう……? こんなに頑張っているのに、なぜ自分は結果が出ないのだろう……? 不公平じゃないか!」――。そういう気持ちは、人生のさまざまな場面で多かれ少なかれ誰にでもあると思います。

そのときに、社会主義思想が甘いささやきをかけてくる。「それでいいんだよ。弱いままでいいんだよ」と。そして、「あいつの持っているものを奪って、一緒に分かち合おう。そうしたら、みんな幸せになれるよね」と。

**茂木** 社会主義が広まる時代というものがあります。それは、社会の「流動性がない」時代です。親が貧困だと子供も貧困で、それがずっと固定されて一種の身分制になっている場合です。どうしようもないから、「いまの社会をぶっ壊せ」となる。1789年のフランス革命の直前、1917年のロシア革命の直前がそうでした。あるいは、1921年に毛沢東たちが中国共産党を創立した時代もそうでした。

**松本** 社会に流動性がない場合に、社会主義が広まる。つまり、「後進国で起きて当然」ということになりますね。

**茂木** さらに言えば、「なぜアメリカでは、社会主義が広がらなかったのか」という答えにもなります。欧州諸国や日本で整備されている国民年金や国民健康保険などの社会主義的な制度がいまだにアメリカでは整っていません。民間保険に入れない貧乏人は医療費が支払えず、救急車にも乗れません。これはアメリカ社会の流動性が高いことの証左です。

**松本**　それはアメリカが、移民社会だったことと関係ありそうですね。

**茂木**　その通りです。ヨーロッパから流れていった貧しい移民でも、西部開拓を何年か頑張れば自分の土地を手に入れることができました。金持ちを妬んで革命を起こすより、西部開拓をやったほうがいい。アメリカはそういう社会でした。一方、ヨーロッパや中国、とくにロシアなどはガチガチの社会になっていました。それで、「ぶっ壊せ」となったのです。

**松本**　ロシアでは1861年、アレクサンドル2世が「農奴解放令」を出しました。「上からの改革」とよく揶揄されますが、実は、革命思想が広まらないようにするための……。

**茂木**　一種のガス抜きだったと思います。でも、そのガス抜きが不徹底でした。土地の分配といっても、結局は「金を払え」ということでしたから。あのときに、タダで土地を分配していたら、おそらくロシア革命は起きなかったはずです。

**松本**　農奴解放がもっと徹底されていれば、ある程度、社会の流動性がロシアにも発生したに違いない。社会に流動性があれば、産業も発達する。そうなれば、あのような悲惨なロシア革命は起きなかった――。

**茂木**　アレクサンドル2世本人が「革命は下から起こるより、上から起こったほうがいい」と言っています。しかし政策が中途半端だったから、アレクサンドル2世は逆恨みされてしまった。彼の最期は悲惨なものでした。結局、爆弾テロでドッカーン、ですから。後継者のアレクサンドル3世は、秘密警察を使って徹底的に革命派の弾圧をしたことで知られています。

**松本**　のちのロシア革命で殺されたニコライ2世が「テロに遭ったおじいさん」と言っているのは、アレクサンドル2世のことですね。アレクサンドル2世は開明的な考え方を持っていた、と。

**茂木**　アレクサンドル2世は先見の明がある人物でしたが、改革政策を徹底できずに本人と孫は悲惨な目に遭ってしまったのです。

## 「フランス革命」に影響を与えたルソーの思想

**松本**　西洋の歴史の中で、「貧困を撲滅したほうがいい。それを社会システム的にやったほうがいい」というのを最初に唱えた哲学者となると、やはり18世紀フランスのジャン・ジャック・ルソーでしょうか？

**茂木**　古く遡る（さかのぼる）とプラトンもそういうことを構想していたと思いますが、近代ではフランス革命直前に出たルソーでしょうね。

**松本**　ルソーの思想がフランス革命を後押しした、と言ってもいいのでしょうか？

**茂木**　後押しどころか、フランス革命の設計図を書いたのはルソーだったと言っていいと思います。カール・マルクスの設計図に基づいてロシア革命が実行されたのと同じような意味ですね。

**松本**　世界史の授業では、フランス革命後の5年間は恐怖政治だったと習います。これに対する反発から1795年には「ヴァンデミエールの反乱」と呼ばれる王党派の蜂起（ほうき）

がパリで起こります。フランス革命後に恐怖政治になってしまった理由については、どのように考えたらいいのでしょうか？

**茂木** 実は、ルソーの思想にその兆しが見えます。ルソーは1712年にスイスのジュネーブに生まれて、まず家庭崩壊に遭遇します。父子家庭となり、さらには父親が家出して孤児になります。彼は家族の愛情を受けたことがないのです。ストリートチルドレンとなり、学校にも行かず、就職もせず、フリーターのようなことをやり続けました。つまり、家族とか社会とか国家とかの秩序の外にいたのです。

それでもルソーは、読み書きを覚えて本も書けるようになり、いっぱしの論客として当時の啓蒙思想家に名を連ねた。そこでルソーは、他の人も自分みたいにやれると思ったのです。つまり、「家族も国家もいらない、社会もいらない。人間はバラバラに生きていくのであって、それが本当の自由なんだ」と。

このルソーの思想は1755年に発表した『人間不平等起源論』という本にまず書かれます。「現在のような腐りきった階級制度に基づく国家体制ができる以前の原始社会において、実は人間は平等であった」という彼の夢想を描いた作品です。

「なぜ現在のような国家や社会が生まれたかというと、モノを所有するということが始まったからだ」という。どこかで、誰かが自分のまわりに杭を打って柵をめぐらせて、「この中は俺のものだ。誰にも渡さない」と言い出した。そのとき、まわりの人間は誰もそれを止めずに「私も！　私も！　私も！」とみんなが真似をした。その結果、みんなのものだった土地が切り刻まれ、私有地が生まれた——。

当然、たくさん囲った者と少ししか囲めなかった者がいて、そこに嫉妬が生まれ、争いが起こった。ルソーは、これが戦争の起源である、と説明します。そして、戦争に勝ち残った、最も凶暴な、最も悪辣な人間が王となった。その下に貴族がいて、階級制度が生まれ、かわいそうな人たちは奴隷になっていった……。これがルソーの『人間不平等起源論』です。

端的に言えば、「今は間違った社会であり、原始の社会に戻すべきだ」というのがルソーの考えです。そして「その理想を実現するにはどうすべきか」というプランを、1762年刊行の『社会契約論』に書いたのです。

『社会契約論』でルソーが言っているのは、「諸悪の根源は財産の私有制にあるから、これをすべて止めろ」ということです。ルソーは「個々人が持っているすべての所有権・財産権を共同体に明け渡せ」と。共同体とは国家のことですから、要するに「土地の私有を廃止して、国有にせよ」ということです。これは完全に社会主義です。

**松本** それを当時のフランス人が「素晴らしい」と思った。

**茂木** フランス革命のリーダー、ジャコバン派の人たちがルソーの理想を実現しようとして突っ走りました。その指導者がロベスピエールで、少年時代にルソーに憧れて会いに行き、ルソーを讃える詩を書いたほどの心酔ぶりでした。彼らは国王の首を切り、貴族や富裕層を処刑しました。彼らの土地と財産を没収して、人民に分配しようとした。当然、ものすごい反発を受けますので、刑法を改正し、「反革命容疑者」を証拠なしでもギロチンで処刑できるようにしました。いわゆる恐怖政治です。

**松本** ジャコバン派は、土地の国有まで行ったのですか?

**茂木** 農民たちが「土地をよこせ」と騒いだので、処刑した貴族の土地をバラバラにして農民に配って終わってしまった。結局、土地の私有は残ってしまったのです。したがってその後、再び貧富の差が出てきました。このフランス革命の不徹底を批判したのがカール・マルクスで、もう1回ガラガラポンにしようとしたのです。

**松本** フランス革命も理想に向かってやろうとはしたけれど、徹底できなかったのですね。

## 地獄への道は善意で舗装されている

**茂木**　革命議会で左側に座ったのが急進派のジャコバン派で、そこから「左翼」あるいは「左派」という言葉が生まれました。そして、穏健派のジロンド派が右に座ったから「右翼」あるいは「右派」という言葉ができた。革命に突っ走るアクセル全開のほうが左翼（レフトウイング）で、革命にブレーキをかけるほうが右翼（ライトウイング）です。

**松本**　ジャコバン派の中にも激しい対立、今で言う「内ゲバ」もあったということですが。

**茂木**　1970年代日本の中核派と革マル派の殺し合いみたいなことをやっています。

**松本**　最も権力を持っていたジャコバン派のロベスピエールも、1794年のテルミドールのクーデターで失脚し、ギロチンにかけられました。独裁権力を握った彼は、ひと財産を残したかに思われましたが何もなかった。その意味において、ロベスピエールは

「革命」という目的のために人生のすべてを奉仕した、良き人だった。

**茂木** ある意味で、ロベスピエールは美しい生き方をした。常に貧困層に心を寄せ、食事も質素で、コーヒーと黒パンしか食べなかった。でも、彼が歩く後には屍（しかばね）の山ができた。

**松本** 想いも良くて、理想も素晴らしくて、けれどそれが地獄に続いていたということですね。「地獄への道は善意で舗装されている」という格言は十字軍の時代のヨーロッパに生まれたようですが、これがフランス革命の頃にも見られた。

**茂木** 理想を掲げる革命が、なぜ血みどろに終わるのか。これも、ルソーに遡ります。彼は、理想社会をどうやって実現するか――その具体的な方法については語っていません。「個人の所有権を全部、共同体に差し出せ」と、ルソーは言う。でも、どうやって？「もともと人間は善なるものである。自分が財産を持っていたら貧富の差がなくならないのであれば、すべての人民は悔い改めて、自発的に財産を国家に差し出すだろう」と、ルソーは思っていたのでしょう。でも実際には、そんな人はいませんよね。

革命家たちは「素晴らしい思想なのに、なぜ民衆は従わないのか。それは、反革命分子が邪魔するからだ」と考える。そこで彼らは、「反革命分子」という存在を常に設定する。ある場合には王党派貴族であり、ブルジョアジーであり、党内の裏切り者であり……。そして、「裏切り者を処分すれば、革命はうまくいく」という判断に至る。だからどんどん首を切っていくのです。スターリンも、毛沢東も、ポル・ポトもそうでした。彼らは、「人間は私利私欲で動く」という人間性の本質を否定するのです。

**松本** 革命家たちは「自分たちは正しいことをやっている。それを邪魔する本当の敵を倒しているだけである」と思うわけですね。これは恐ろしいことです。

## 「性善説」より「性悪説」のほうがうまくいく⁉

**松本** 理想としては素晴らしいのに、なぜ社会主義は成功できないのか」という問いの答えも、このあたりにヒントがありますね。

**茂木** 要するに、「性善説」に基づくからです。

**松本** そうすると、「性善説はとらないほうがいい」という結論が出てきます。

**茂木** 性善説の真逆に立つ哲学者が、「経済学の父」とも呼ばれる18世紀イギリスのアダム・スミスです。スミスは、「人間は私利私欲の塊であって、金儲けに突っ走る汚い存在だ」ということを前提にしています。つまり、「性悪説」です。

性悪の人間たちをそのまま放置しておいたら、世の中はどんどん悪くなる——という
と、それは逆。性悪と性悪は打ち消し合う。競争することによって相殺されるからです。

もう少しわかりやすく言いましょう。

例えば、「どうして牛丼は390円で食べられるのか」について考えてみます。悪徳牛丼業者がいて、「うちの牛丼は一杯5000円で売ろう」と考えたとします。しかし、客は来ない。他にもっと安くて美味い店があるからです。そこで悪徳業者は仕方なく値段を下げていって、適正価格の390円となる。マーケットではこうして自動的に価格というものが決まってくるのです。

これをスミスは「神の見えざる手」と言いました。だから「放っておいても大丈夫」というのが、「自由主義経済」の思想です。

**松本** 性悪説を肯定する形でマーケットの中で競争を行えば、案外、そのほうが悲惨な状況は防げる。そして、ある程度の平等も達成できる、ということですね。良い意味で互いに疑い合っている社会のほうが、より思いやりある社会であるような気がしてきま

した。

**茂木**　自由競争をすると経済が発展しますから、経済全体のパイが大きくなっていきます。そうすると、一人ひとりの取り分、つまり所得が増えていく。結果的に、平等に近づいていくということになります。

**松本**　経済のパイの拡大と緩やかなインフレーションで、ゆっくり徐々に所得と物価が上がっていくというのが、健全な経済であり、社会です。

**茂木**　戦後の日本は、1950年代、60年代にそれを実現しました。

**松本**　近年の日本のようにデフレが長く続き「100均」だけが流行る、という状態はやはりよくないですね。

**茂木**　はい、社会主義思想が広がる基盤になってしまいます。ですから社会主義政党というものは、経済成長にまったく関心を持ちません。誰もが上昇できる自由社会が実現すれば、社会主義そのものの存在意義が失われるからです。

PART 2

# 19世紀の「社会主義」

## 労働者の生活をいかに保障するか

**松本** PART2では、19世紀の社会主義の流れを追っていきたいと思います。フランス革命後、ナポレオンが出てきて「フランス革命の前段階に戻そう」という動きがヨーロッパ全体で起きました。1814〜15年にかけてウィーン会議が行われ、「絶対王政」の秩序が復活します。ところが、1830年には「七月革命」、1848年には「二月革命」と、再びフランスで革命を志向する動きが出てきます。

**茂木**　この時代のもう一つの革命、「産業革命」の影響が重要です。ルソーの時代は、まだ手工業でした。19世紀になると機械工業に変わっていき、大量生産が始まって、大きな工場に大量の労働者が低賃金で雇われるという新しい状況が生まれます。フランス革命で救おうとしたのは主に農民ですが、19世紀の革命は「労働者の生活をいかに保障するか」が課題でした。

**松本**　仕方のないことですが、ルソーの著作には「工場労働者」は登場しません。ということは、工場労働者の出現によって、ルソーではない新時代の社会主義思想が必要となってくる。農民に土地を分け与えようという土地共有化たる素朴な社会主義から、工場に集まる賃金労働者をどうやって救済するのか、という社会主義ですね。

さて、ルソー以降の19世紀前半では、どのような哲学者がいるでしょうか？

**茂木**　イギリスであればロバート・オーウェン、フランスであればシャルル・フーリエです。二人に共通しているのは、「少数の資本家が利益を独占するのが間違っている。資本家と労働者からなる一種の組合をつくって利益を平等に分ければいい」という点です。

**松本**　のちの「サンディカリスム（労働組合主義）」の原点でしょうか？

**茂木** その通りです。ただし、彼らは「それは善意で行うことであって、暴力で実現するものではない」「資本家と労働者がよく話し合い、資本家が悔い改めて合法的にやるべきだ」としています。

オーウェンは工場経営者でした。そして彼は本当に悔い改めて、児童労働を規制する工場法の成立を議会に働きかけ、自分の工場には労働者の子供たち向けの幼稚園をつくりました。その後アメリカに渡り、ニューハーモニー村という自給自足の平等社会をつくりました。しかし集まってきたのは仕事のできない理想主義者が多く、参加者の労働意欲の減退、内部対立が原因で、わずか4年で崩壊しました。「人間は、善意で動く」というまぼろしをオーウェンも信じていたようです。

これをあざけったマルクスが、オーウェンらを「空想的社会主義者」と呼び、自分たちを「科学的社会主義者」と定義しました。その実態についてはあとでお話ししましょう。

## 「パリ・コミューン」が2ケ月で崩壊した理由

**松本**　1830年の七月革命では、ブルボンの復古王朝が倒されてオルレアン家のルイ＝フィリップが即位しました（「七月王政」）。

**茂木**　「ワーテルローの戦い」（1814）でナポレオンが敗北し、ブルボン王家が戻ってきます。これに反発したパリ市民が七月革命を起こしますが、銀行家たちがブルボン家の親戚であるオルレアン家を擁立して七月王政となります。

**松本**　このとき、「選挙権が欲しければ、金持ちになりたまえ」と言って反感を買った政治家がいましたね。

**茂木**　七月王政最後の首相フランソワ・ギゾーですね。彼も銀行家でした。

**松本**　1848年の二月革命は、1789年のフランス革命とは質的にもまったく違っていたように思います。1789年の革命は「社会主義革命」とは呼ばず、あえて言えば「ブルジョア革命」でしょうか。そこから「二段階革命論」も出てきますね。

**茂木**　その通りです。七月王政期にフランスでも産業革命が起こり、工場経営者の産業資本家と、労働者階級が台頭しました。彼らは参政権を独占する銀行家に対して普通選挙を要求し、二月革命を起こす、という流れです。

社会主義者が参加した革命は、この二月革命からです。この革命の結果、労働者も含む「男性普通選挙」が制度化されました。ロベスピエール時代の第一共和政と区別するため、「第二共和政」と呼びます。

**松本**　この「第二共和政」政府が、「国立作業場」という施設を設置しました。

**茂木**　フランス初の労働立法ですね。「公共事業をやって、失業者を救う」という政策です。20世紀初頭の世界恐慌のとき、アメリカが「ニューディール」という経済政策をやりました。フランスの国立作業場はその先がけです。

**松本**　とはいえ、「無駄なことをいつまでやるのか」という批判が噴出したようですが。

**茂木**　国立作業場の計画として、パリ市内の道路工事や橋の修理作業などに労働者を投入します。しかし、パリは小さな街ですから、すぐに工事が終わってしまう。それでも全国からどんどん労働者がパリに集まって「仕事をくれ、金をくれ」と騒ぐわけです。すでに労働者も選挙権を持っていましたから、政府はバラマキを続けないと選挙に勝てない。やがて、国立作業場は「仕事がない人にも金をばらまく」というシステムになっていきます。さすがにそれは税金の無駄使いだ、と批判が起こり、国立作業場は廃止に追い込まれます。

**松本**　そこに登場したのが、ナポレオン3世でした。ナポレオン1世の甥が大統領に当選し、国民投票で皇帝になったんですね。

**茂木**　ナポレオン3世の政策も、実は公共事業です。「パリ万博をやります」と言って巨大イベントをしかける。「パリを綺麗にしましょう」と言って大規模土木事業を始める。現在の整然たるパリの街をつくったのは、ナポレオン3世です。そこには、街並みを良くするということのみならず、公共事業によって失業者を救うという目的があった。

ナポレオン3世は「独裁者」とよく非難されますが、やることはやっている。

**松本**　その後、1871年に「パリ・コミューン」と呼ばれる歴史上初めてのプロレタリアート（労働者階級）の自治政府がパリに樹立されますが、政府軍との内戦に敗れ、2ケ月ほどで崩壊します。革命がうまくいかなかったのは、街が整備されて隠れる路地がなかったから、とも言われます。

**茂木**　バリケードをつくれるような袋小路がなくなったからです。結果的に、ナポレオン3世の都市計画が、革命を阻止したのです。僕たちの学生時代、極左の学生運動の残党が大学の生協やら自治会やらを占拠していました。バブル期でカネがあった大学側は校舎の改築を名目に、彼らを追い出すことに成功しました。これと同じことですね。

## マルクスの意義と修正主義

**松本** ここからは、社会主義および労働運動に強い影響を与えた、カール・マルクスについて講義を進めていきましょう。

**茂木** ルソーはフランス革命が起こる数年前に亡くなっており、実際にはフランス革命に関わっていません。これに対して、マルクスは単なる理論家ではなく、実際に労働運動をやっています。世界中の労働者を結集して「世界革命をやろう」と言い出したのはマルクスです。

**松本** ドイツ統一前のプロイセン王国の出身ですね。

**茂木** 彼がユダヤ人だということが重要です。お父さんはユダヤ教の教師（ラビ）でしたが彼は放蕩息子で、神を信じていませんでした。ちょうどドイツ統一運動が進む中で、外国人、とりわけユダヤ人は肩身の狭い思いをしていました。国境線がなくなり、世界が統一されれば、おれたちユダヤ人ものびのびと生きていける、そう考えたのでしょう。

**松本**　フリードリヒ・エンゲルスというお友達にずいぶん助けられたようですね。

**茂木**　マルクスには常にスポンサーがいました。母方の祖母がイギリス製品の輸入を担ったコーエン家という富豪で、ロスチャイルド家とも姻戚関係にありました。

　エンゲルスはイギリスの綿織物業者、すなわち資本家階級ですが、ロバート・オーウェンのように社会主義にシンパシーを持っていました。危険人物として指名手配され、イギリスに亡命したマルクス一家の生活の面倒をみたのがエンゲルスで、『共産党宣言』も共著となっています。

**松本**　１８４８年の2月にロンドンでマルクスが『共産党宣言』を発行して、その数日後にフランスで二月革命が起こっていますね。

**茂木**　マルクスはフランスで社会主義革命が起こることを期待していました。１８６４年にはロンドンで「国際労働者協会」、通称「第一インターナショナル」を結成し、世界の社会主義者を結集させました。これが前述のパリ・コミューンとも繋がっていきます。

**松本** このあたりから、いわゆる本格的な社会主義思想が登場したと考えられます。マルクスの『共産党宣言』はパンフレットのようなものでしたが、1867年に始まる『資本論』のような著作が出ていくにつれて、工場労働者という存在をしっかりと見据えた社会主義理論が体系化していきます。

第一インターナショナルの結成にあたって、マルクスはミハイル・バクーニンなどの無政府主義者たちと揉めたと聞きました。

**茂木** 第一インターナショナルは、社会主義という目標は同じだけれども、さまざまなグループの寄せ集めでした。「マルクス派の共産主義」や「バクーニン派の無政府主義」などです。内部対立から内ゲバも始まります。バクーニンはロシア人で、農民革命による帝政打倒と国家の解体（無政府主義）を唱え、強力な労働者政権を樹立しようとするマルクスとは激しく対立します。

それでも第一インターナショナルという「世界革命」を唱える組織ができたことにより、ヨーロッパ各地で革命の火がつき始めました。

上流階級や資本家たちは危機感を覚え、「革命に至らずに、この運動を抑え込む方法はないか」と考えました。ひとつは、参政権を認める。「要求があれば暴力ではなく、選挙で訴えればいい」と。もうひとつは、賃上げ要求を認める。「頑張ればどんどん賃上げします。ボーナスも出ます」と。実際に、そのようになっていきました。

すると今度は、過激な運動をやっていた革命家たちがシュンとなってしまった。「文句があったら、選挙に行けばいい」「去年より今年のほうがリッチになっているから、このまま頑張ればいい」となったからです。そして、選挙によって合法的に政権を握ろうという、社会主義政党がたくさん出てきます。フランスの社会党やドイツの社会民主党、イギリスの労働党などが誕生しました。この穏便な労働運動のことを「修正主義」と言います。

**松本**　筋金入りの革命家にとっては、修正主義というのは蔑称でした。

**茂木**　「マルクス主義を勝手に修正した」ということでしょう。要するに、「生ぬるい」と。

**松本**　たとえ修正主義と呼ばれようとも、多くの人々は「これでいい」と考えた。私には、「人を殺してまでして、革命はしたくない」という、常識的な考え方に見えます。やはり、社会主義者だって残酷なことはしたくないでしょう。

**茂木**　修正主義は「資本主義の枠内で、労働者の権利を守っていく」という方向ですが、これが広まったのは、フランス、ドイツ、イギリスです。西ヨーロッパ限定でした。

**松本**　「社民主義」とでも言えばいいのでしょうか、フランス、ドイツ、イギリスではそういった思想が発展したことによって、さらなる革命を防ぐことができた。「平等」も徐々に達成されて、ある程度は労働者階級の怒りも収まった。

東のロシア帝国には、修正主義は広まりません。なぜかというと、そもそも議会も選挙もなかったからです。当時のロシアでは、労働者が自分の意思を通そうと思えば暴力に訴えるしかない。アレクサンドル3世の時代で、革命派に対する弾圧、血の粛清を徹底的にやっていましたから、「暴力には暴力を」ということになっていきました。

ロシアでは前述したように、アレクサンドル2世が土地改革をやったものの不徹底で遅きに失した、ということですね。

**茂木**　ロシアで議会が開かれるのは20世紀になってからです。日露戦争で敗北が続いていた1905年にやっと、最後の皇帝ニコライ2世が議会を認めました……、遅すぎます。

PART 3

# 20世紀の「社会主義」

## 天才的な革命家、レーニンの暗躍

**松本**　いよいよ20世紀の社会主義です。20世紀はロシア革命（1917）に始まり、ソ連崩壊（1991）で終わった「社会主義の世紀」と言えます。

**茂木**　ここでウラジーミル・レーニンの登場です。4分の1ユダヤ人で、本名はウリヤノフ、レーニンというのはペンネームで「レナ川の男」という意味です。お兄さんが皇帝アレクサンドル3世の暗殺事件に関わって処刑されますが、弟も革命家になることを決意しました。
レーニンの革命理論が「二段階連続革命論」です。西欧より遅れたロシア、貴族の大土地所有が残るロシアで必要なのは産業資本家によるブルジョワ革命、市民革命である。しかしその結果、資本主義社会になってしまっては意味がないので、間髪入れずに労働者革命（第二革命）に移行する。実際のロシア革命は、レーニンの計画通りに進行しました。ある意味、天才です。

**松本**　日露戦争は1905年の9月に終戦しますが、同年の1月に「血の日曜日事件」と呼ばれる大規模なデモ隊発砲事件がサンクトペテルブルクで起きました。10月にはニコライ2世が「十月宣言」を出して国会を開設しました。

**茂木**　実は日本軍がロシアの革命を煽っていたというのは、意外と知られていませんね。当時は武官として諜報活動にあたっていた明石元二郎（のちに陸軍大将）が、現在の貨幣価値で数百億円の秘密資金を革命派に流していました。これが結果的に、日露戦争でのロシア敗北に繋がったのです。当時の日本の諜報活動はものすごかった。

**松本**　そうした日本の諜報力が、なぜ大東亜戦争で発揮されなかったのか……。それはさておき、血の日曜日事件に始まる騒乱は「革命」と呼んでもいいでしょうか？

**茂木**　はい、一般的には「第一革命」と呼ばれています。初段階では「まず、議会を認めさせる」ということで、憲法の制定と議会の開設が目標でした。革命で日露戦争の続行が難しくなったニコライ皇帝がそれを認め、ロシア史上初めての議会を開いた。この帝政期の国会が「ドゥーマ」と呼ばれています。

**松本**　二段階革命論で言えば、ブルジョア革命ですね。フランスでは1789年のフランス革命がブルジョア革命にあたるわけですが、ロシアではかなり遅れて1905年の第一革命がブルジョア革命だった。

**茂木**　ですから1905年の第一革命では、土地の分配などはしていません。

**松本**　1917年のロシア革命が発生する要因として、「第一次世界大戦」（1914～18）の影響は大きかったのでしょうか？

**茂木**　レーニンは第一革命のときに、一気に社会主義体制に突っ走ろうとして失敗しました。レーニンの政党「ボリシェヴィキ」の同志たちは大勢逮捕され、生き延びた党員は国外へ逃亡します。帝政ロシアの警察の追及を恐れた彼らは、しばらくロシアに戻れませんでした。

日露戦争後にできたロシアの新体制は「立憲君主制」です。皇帝の下に議会があり、皇帝権力を議会が制限するという体制です。つまり、ロシアはいったん、イギリス型の国家になったのです。このままいけば、ロマノフ王朝も長く続いたでしょう。

ところが時の皇帝ニコライ2世は、1914年の第一次大戦で対ドイツ戦という愚かなことを始めた。しかもドイツに連戦連敗です。ロシア国民の不満が爆発し、「皇帝のいない国をつくろう。共和政にしよう」となり、国会が帝政の廃止を決議したのです。こうして、400年も続いたロマノフ王朝が崩壊しました。これが二月革命です。

**松本**　第一次大戦の混乱に乗じてサンクトペテルブルクで二月革命が起きていますね。レーニンと同志たちはその直後、1917年の4月にロシアに戻ります。

**茂木**　二月革命は、産業資本家が皇帝ニコライ2世を退位させたブルジョア革命です。サンクトペテルブルクに臨時政府ができますが、指導権を握った政治家たちは、ロシアをヨーロッパやアメリカ型の「自由主義の国」にしたかったのです。だから、「言論の自由」を認めます。

これに対抗する勢力として、土地財産の完全国有化、つまり社会主義を目指すグループがあり、そのリーダーとしてレーニンと、そのライバルのケレンスキーがいました。

**松本**　レーニンはスイスのチューリヒに亡命していましたが、「封印列車」と呼ばれる貸切列車に乗って北欧経由でロシアのサンクトペテルブルクに帰ってきた話は有名で、高校の世界史でも勉強すると思います。封印列車はいったい誰が準備したのでしょうか？

**茂木**　ドイツ政府です。日露戦争で日本軍の明石元二郎がロシア革命を煽ったように、第一次大戦ではドイツがロシア革命を煽ったのです。スイスに亡命していたレーニンにドイツの諜報機関が接触し、「ロシアに連れていってやるから、革命をやれ」と言う。レーニンは超危険人物です。途中で降りられてドイツ国内で革命を起こされたら困るので途中下車はさせない。だから〝封印〟列車なのです。実際にはドイツ人将校2名が乗り込んで一行を監視していました。

**松本**　なるほど。そういう目的のための〝封印〟だったのですか！「情報収集のために、ドイツ国内の景色を見るな」という意味の封印ではなく、「レーニンに外に出てもらっては困る」という意味の封印だったのですね。

**茂木**　レーニンは現代で言えば、9・11テロ事件の首謀者とされるオサマ・ビンラディンのような危険人物でしたから。

ロシアに戻ったレーニンが発表した革命方針が「4月テーゼ」でした。「臨時政府を支持しない」「帝国主義戦争に反対する」「全権力をソヴィエトへ」という指針の表明です。

これに対して資本家たちはケレンスキーを臨時政府の首相に擁立して対抗しましたが、負け戦が続く中で兵士の多くが、「戦争反対」のレーニンを支持しました。こうして軍隊を握ったレーニンが、十月革命でケレンスキー臨時政府を倒し、共産党政権を樹立します。

## 「ロシア革命」には黒幕がいた⁉

**松本**　近年、国際情勢を読み解く上で話題となっている「ディープステート」と「革命」は関係あるのでしょうか？

**茂木**　ディープステートとは、アメリカの連邦政府・金融機関・産業界の関係者が秘密のネットワークを組織しており、その内部で権力を行使する「闇の政府」のことを指します。いわゆる陰謀論として片付けられることもありますが、前米大統領のトランプが任期中の演説でディープステートに関する発言をして物議を醸しました。

日本では元ウクライナ駐在大使で評論家・作家の馬渕睦夫氏が、ディープステートという言葉を広めました。ディープステートはニューヨークを中心とする大銀行と国際金融資本がアメリカのみならず、近現代の世界史の黒幕になっている、と馬渕氏はいいます。具体的に言えば、アメリカのロックフェラー系の財閥であったり、ヨーロッパのロスチャイルド系の財閥であったりといった国際金融資本家が世界を動かしている、ということです。

そのディープステートがロシア革命を裏で操っていた。つまりレーニンたちの資金源になっていたのではないか、という疑惑があります。国際金融資本家の多くがユダヤ系です。ロックフェラーは違いますが、ロスチャイルドは完全にそうです。

まず、「ユダヤ人がロシアでどういう扱いを受けてきたか」ということを考えてみましょう。ユダヤ人はロシアで、ヒトラーも真っ青の迫害を受けています。アレクサンドル2世が爆弾テロで殺害されますが、爆弾を投げた男はユダヤ人でした。それをきっかけにロシアで反ユダヤ主義に火がつき、凄まじい虐殺が行われました。これを「ポグロム」といいます。

ポグロムから逃れるために、大量のユダヤ人がロシアから国外へ流れました。ある者はロンドンへ行き、ある者はニューヨークへ行きました。ユダヤ人からすると、帝政ロシアは許しがたい。基本的にユダヤ人は「反帝政ロシア」です。そういう背景があるので、ユダヤ系の国際金融資本家がロシア革命に資金提供したということは、おそらくあると思います。ただし証拠はありません。

その一方で、資金ということでいえば、こういう話もあります。アレクサンドル2世が、農奴解放令を出したあとでロシアの近代化を画策した。鉄道を敷いたり、鉱山を開いたり、油田を掘ったりする計画です。ところがロシアという国は貧乏で、とにかくカネがない。そこで外資導入を図りました。有名なところでは、1891年、アレクサンドル3世の時代に起工したシベリア鉄道は、フランスからの資本です。

**松本**　ロシア最初の油田は、1870年代に開発が始まったカスピ海のバクー油田です。バクー油田の開発に資金提供したのはロスチャイルドです。つまり、彼らは二股をかけていた。帝政ロシアに投資する一方で、革命派にもカネを流していた。

**茂木**　どちらに転んでもいいようにしている、いつもの彼らのやり方です。日露戦争のときも同じで、日本の戦時国債をまとめて買ったのは、ジェイコブ・シフというニューヨークのユダヤ系銀行家でした。ジェイコブ・シフはロスチャイルドの代理人です。

**松本**　ロシア革命のとき、ロスチャイルド本家はロシアの国債を購入していたようです。

**茂木**　そういう状況を見れば、彼らも未来を見通せなかったことがわかります。彼らがロシア革命を「裏ですべて仕切っていた」というのは言い過ぎでしょう。

**松本**　ロシア革命の黒幕、という表現には慎重になったほうがいいということですね。

## もし、ロシアが「バクーニンの道」を選択していたら……

**茂木**　ロシア革命の黒幕がユダヤ人だった、という話は昔からありました。例えば、マルクスのライバルだったバクーニンがこんなことを言っています。「マルクスの共産主義は、中央集権的な権力を欲する。そしてその国家の中央集権には、中央銀行が欠かせない。このような銀行が存在するところに、人民の労働のうえに相場を張って儲けている寄生虫民族ユダヤ人が存在手段を見出すのである」――。『バクーニン著作集』（白水社）の第六巻に入っている文章です。

**松本**　バクーニンは革命における、中央銀行の役割というのを見抜いていた。

**茂木**　バクーニンは、マルクスのライバルということで散々叩かれ、革命の裏切り者扱いを受け続けた人物です。だから、バクーニンが何を言っていたかということはほとんど紹介されない。『バクーニン著作集』は日本語版が1973年に出て絶版になり、それ以来復刊されていません。バクーニンの考えが広まったら共産主義主流派の人たちがよほど困るのでしょう。

ロシア革命のリーダーの一人であるケレンスキーはレーニンのライバルでしたが、彼の思想は遡るとバクーニンに通じます。つまり、ロシア革命にはもうひとつ他の道があった。「バクーニンの道」という、共産主義とは別の道があったのです。

**松本**　「バクーニン」⇒「ケレンスキー」の系譜ということですね。

**茂木**　ケレンスキーの社会革命党というグループ、通称「SR（エス・エル）」です。

**松本**　この社会革命党を倒してボリシェヴィキ党が権力を握り、レフ・トロツキーとスターリンの党内の権力闘争を経てスターリンが権力を握ります。

**茂木**　それが、1917年の「十月革命」です。十月革命では、3つの局面がありました。

まず、ブルジョアジーの「臨時政府」があり、それに反対する社会主義者の「ソヴィエト政府」があった。ソヴィエト内は二つに割れていて、社会革命党のケレンスキーと、ボリシェヴィキ党（共産党）のレーニンが争っていた。つまり臨時政府、ケレンスキー、レーニンの三つ巴（みつどもえ）でした。

臨時政府を支持する資本家たちは、ケレンスキーのほうが、まだ話が通じると思った。だから「君を首相にしてあげるから、その代わりに言論の自由は守ろうね」「一党独裁の共産党には反対しようね」と誘い、ケレンスキーは承諾します。そして、臨時政府の首相をケレンスキーが引き継ぎます。

それにレーニンたちが襲いかかったのが十月革命です。革命という呼び方は不正確で、実は兵士を動員したクーデターでした。レーニンたちは臨時政府を一晩で倒します。

**松本**　十月革命は、激しい戦いもあまりなかったようですね。

**茂木**　ケレンスキーたちはすぐに逃げましたから。面白いのは、十月革命後の11月にロシアで初めての自由選挙が行われたときのことです。「憲法制定議会」という議会をつくる選挙だったのですが、この選挙でなんとケレンスキーの社会革命党が圧勝したのです。

ケレンスキーの社会革命党が第一党、レーニンのボリシェヴィキ党が第二党――選挙で勝ったわけですから、ケレンスキーが戻って政権を取ることもできたはず。ところが、そうならなかった。少数のボリシェヴィキ党が再び暴力と武力で議会を包囲し、第一党である社会革命党員を逮捕してしまいます。以来、ロシアにはまともな選挙がなくなり、ボリシェヴィキ党の独裁がはじまります。その後、ボリシェヴィキ党が改名して「共産党」となりました。

## ソ連に翻弄された、悲劇のウクライナ

**松本**　ここで、ウクライナに目を向けてみましょう。当時、ウクライナで凄まじい餓死が発生したと聞きました。

**茂木**　共産党が政権を取るのは、世界史上初めてのことでした。今で言えば、アルカイダやＩＳ（イスラム国）が政権を取るような大事件です。危険を察知し、世界中が潰しにかかりました。１９１８年から１９２２年にかけて英・仏・日・米の連合国軍がロシ

アに上陸します。「対ソ干渉戦争」とか、「シベリア出兵」と呼ばれています。

レーニン側から見れば、世界中の資本家政権が襲ってきた、ということです。「すべては予定通りだ。これを機に、反転攻勢して世界革命へ！」とレーニンは臨戦体制に入ります。ロシアでは食料不足が深刻な問題となっていました。モスクワ周辺だけでは足りないので、ウクライナでつくっていた穀物を強奪した。その結果、ウクライナで大飢饉（だいききん）が始まりました。

**松本**　このウクライナの大飢饉とのちのヨシフ・スターリンによる粛清によって、数千万人のウクライナ人とロシア人が亡くなったと聞きました。

**茂木**　スターリンは党内の権力争いを制して、１９２４年に最高指導者になります。対外戦争はすでに終わっているのに、スターリンは計画的にウクライナから食料を奪い取る政策を続けました。

もともとウクライナ人はロシア人と同じルーツを持ちますが、長くポーランドの支配下にあったため独自の国民性を持ち、独立志向がありました。ロシア革命に乗じてウクライナは独立政権を樹立しています（ウクライナ人民共和国）。

ウクライナが独立してしまえば、モスクワには食料がなくなってしまう。連合国の干渉軍を撃退したソヴィエト軍は、ウクライナ全土を占領し、ソヴィエト連邦に編入しました。「ロシアとウクライナの対等合併」は建前で、実際にはロシアに再併合されたのです。

絶対にウクライナ独立を許すことができないスターリンは、ウクライナ人の数自体を減らして反抗する力を奪うという作戦を採ったのです。ソ連軍はウクライナ人を村に封じ込め、食料をどんどん徴発しました。結果、人工的な大飢饉が引き起こされたのです。

**松本**　それは、計画的な民族の殺戮(さつりく)です。

**茂木**　その通りです。現在ウクライナでは、ナチス・ドイツの「ホロコースト」に匹敵する大虐殺「ホロドモール」としてこのことを教えています。

**松本**　どうして私たちはそれを世界史で習わないのでしょうか?

**茂木**　まったく奇妙ですね。

敗戦後の日本の歴史学会では、長くマルクス主義者が多数派を占めていました。ロシア革命は人類の偉業であり、レーニンもスターリンも偉人である、と教えてきました。その影響はいまも残り、世界史の教科書では「ウクライナで飢饉が起こった」でおしまい。この大虐殺は「ホロド(飢饉)」+「モール(大量死)」と呼ばれています。興味のある方はインターネットで検索して調べてみてください。写真なども出てきます。

**松本**　この1930年代のスターリン時代には、共産党の中でも大粛清が行われました。

**茂木**　悪いのはスターリンであってレーニンまでは良かった、という説明が一般的によく見られますが、これは事実に反します。殺戮を始めたのはレーニンからです。共産主義者としては、「革命の父」であるレーニンを貶めることはできないので、「悪いのはスターリン」ということにしたのでしょう。

**松本**　ソ連はスターリンのもとで、1941年に始まるヒトラーとの独ソ戦を勝ち抜きます。このことから、スターリンを正当化するような論調もあります。

**茂木**　皮肉なことに、ヒトラーがスターリンを助けたのです。あの戦争はどう見ても、ソ連に攻め込んだヒトラーが悪い。だからこれを迎え撃ったスターリンが正義になってしまった。それまでスターリンに酷い目に遭わされたロシア国民も、ヒトラーを退けたことで「スターリン万歳」になりました。スターリンはたちまち英雄です。

**松本**　戦争に勝利したことによって、社会主義が世界的に正当化されたという点はありますね。ソ連は正しい国だったから「大祖国戦争」にも勝利できた、という印象が広まりました。

**茂木**　一番大きかったのは、ヒトラーを倒すために西側資本主義陣営の大国である英・米がスターリンと手を組んでしまった、ということです。

**松本**　そして、「社会主義は素晴らしい」ということになり、第二次世界大戦後に社会主義化の動きが世界に広がっていくわけですね。

**茂木**　ソ連という国は、それまでは世界のつまはじき者でした。それが、第二次大戦によって一躍、世界のリーダーになり、国際連合の常任理事国になった。ナチス・ドイツが滅んだあとのヨーロッパについては、アメリカとソ連が山分けすることになったのです。東ヨーロッパにソヴィエト型の共産党体制がどんどん移植されました。中国の共産化も、ノースコリア（北朝鮮）の建国も同じ流れです。

PART 4

# 第二次世界大戦後の「社会主義」

## 金日成は2人いた!?

**松本**　ＰＡＲＴ４では、第二次世界大戦後の社会主義、そして21世紀の社会主義に話を移していくことにいたしましょう。

まず、戦後の社会主義の問題は「冷戦」から始まったものと思います。東欧に社会主義の国がたくさんでき、極東には「朝鮮民主主義人民共和国」（北朝鮮）という国もできました。北朝鮮は、やはりソ連がつくったのでしょうか？

**茂木**　その通りです。北朝鮮はソ連がつくりました。

**松本**　北朝鮮の初代最高指導者である金日成（キム・イルソン）も、ソ連のエージェントだったのでしょうか？

**茂木**　実は、金日成という人は2人いました。1人は1930年代、主に満洲で日本軍に抵抗していた「抗日パルチザン」と呼ばれたゲリラのリーダーです。彼は日本の陸軍士官学校、騎兵学校を出たエリートで、本名を金擊天（キム・ギョンチョン）といいます。日韓併合後に起こった三・一運動を見て民族意識に目覚め、白馬に跨（またが）って日本軍に抵抗していると噂されていました。ロシア革命後は、ソ連からの支援を求めてシベリアへ移住しますが、スターリン時代に粛清されてしまいました。このほかにも複数の抗日ゲリラのリーダーがいて、そのイメージが「金日成将軍」として伝説化されていったのです。

2人目は金成柱（キム・ソンジュ）という人です。日本領朝鮮から逃れて、満洲経由でソ連領のシベリアに亡命していた人物です。当時、ソ連極東軍はシベリアに大勢の亡命中国人と亡命朝鮮人を抱えていました。将来の対日戦に備えて、彼らをソ連軍の将校が訓練していたのです。金成柱はこのソ連極東軍に拾われ、訓練を受けます。

1945年8月8日にソ連が日ソ中立条約を破棄して満洲に攻め込みます。金成柱の部隊も参加していて、そのまま朝鮮半島に入ってきた。当時の金成柱はまだ30代でロシア語も流暢でしたから、スターリンから見るとたいへん使いやすい人物でした。
ただし、金成柱という名は誰も知りません。それで、彼は金日成に改名し、金日成を演じたのです。「伝説の老将軍が帰ってきた」と朝鮮の人たちは歓喜し、ピョンヤンの広場に集合しました。そこに姿を現したのが、まだ30代の金成柱です。「誰?」となりました（笑）。

**松本**　「伝説の金日成将軍はこんなにも若いのか」というのは、このときの逸話ですね。しかし、金成柱改め金日成は、無理を承知でそのまま突っ走った。

**茂木**　その後、北朝鮮は「伝説」を「歴史」につくり変えました。北朝鮮の教科書ではこうなっています。「金日成将軍様が、中朝国境の革命聖地・白頭山でゲリラ戦を指揮なさっていて、日本軍に対してたびたび大勝利を挙げて、ついに1945年に日本軍を追い払い、我が祖国を解放した」——。ここにはソ連軍さえ出てきません。

**松本**　1948年の8月に李承晩（イ・スンマン）が大韓民国政府（韓国）の樹立を宣言して、9月に北の金日成が朝鮮民主主義人民共和国をつくります。金日成はその2年後に韓国に攻めていきます。この朝鮮戦争（1950〜53）で、韓国も赤化（共産主義化）する可能性が十分にあったのではないでしょうか？

**茂木** 韓国にも「南朝鮮労働党」という政党がありました。金日成に忠誠を誓う組織で、韓国国内で武装蜂起をしていました。当初、金日成は赤化統一できると思っていたようです。

**松本** なぜ、それがうまくいかなかったのでしょうか？

**茂木** 李承晩政権による徹底的な弾圧です。韓国の建国直前に起こった済州（チェジュ）島四・三事件（1948）では、李承晩政権の軍・警察が左派とみなした住民を虐殺しました。もう一つは、アメリカの軍事介入です。国際連合軍総司令官としてダグラス・マッカーサーが指揮をとりました。

**松本** 有名な「仁川上陸作戦」ですね。これで朝鮮戦争のゆくえもわからなくなり、やがて戦線が膠着（こうちゃく）。そして1953年、板門店での停戦交渉となります。そして米ソの冷戦となり、南北に分かれた朝鮮のまま今も続いている、ということになりますね。

## しぶとく生き残る中国共産党

**松本**　隣の中国でも、同じ頃に革命が起きました。1949年10月に、中国共産党が「中華人民共和国」の建国を北京で宣言します。このときに出てきたのが毛沢東です。

高校の世界史では毛沢東は、1934年から1935年にかけて行われた「長征」のさなかに主導権を握ったということで登場します。長征というのは、中国共産党が蔣介石の国民党に追われて大移動し、陝西省の延安に新たな拠点を築いたことを指します。

そうした劣勢状態の共産党が、最終的に国民党との戦いに勝利できた理由は何でしょうか？

**茂木**　社会主義が広がる条件のひとつとして、「社会に流動性がないこと」と前にお話ししました。貧困層がどうあがいても浮かばれない、という状況です。当時の中国はまさにそうでした。確固たる地主制度というものがあり、8割9割が小作人で極貧です。毛沢東はシンプルに、「地主階級を倒せば、腹いっぱい飯が食える」と宣伝したのです。

**松本**　とてもわかりやすいですね。

**茂木**　このような思想は、実は中国には古代からあります。「もともと土地というのは万民のものであり、それを地主や貴族が支配するのはけしからん。土地を万民に返せ」という運動は古くからあった。歴史上の各王朝末期の農民反乱の多くがこれです。清朝に起こった「太平天国の乱」でも、指導者の洪秀全が同じことを言っています。

つまり、中国にはヨーロッパから社会主義が入ってくる以前から「農民革命」の思想があったのです。

**松本**　中国共産党は「国共内戦」に勝利して毛沢東が独立を宣言しました。ソ連と中国、そして北朝鮮、プラス東ヨーロッパというユーラシアの広い地域が社会主義の国になった。私の印象では、社会主義の国で行われていたのは「密告」と「強制収容」ばかりだったような気がします。

**茂木**　社会主義政権になって良かったこともあるのは事実です。貧富の差はなくなりました。資産家階級を殺してしまいましたから。資産家が所有していた財産を国有化してそれを分配するというシステムになったので、地主が小作人をこき使っていた蔣介石時代までと比べると農村は「まとも」になったのです。

ただし、大量の血が流れました。毛沢東の軍隊は、まず村人（農民）たちを集めて地主を糾弾させます。「お前たちを苦しめてきたのはこの地主一家だから、やってしまえ」とけしかける。村人たちは鍬や鎌を持って、地主に襲いかかって惨殺する。そういうことを繰り返したのです。その結果、土地はみんなのものになった――。

毛沢東はより豊かにしようと考えました。「欧米並みの豊かな国にする」と、共産党が「五カ年計画」を練ります。5年間で米をこれだけ増産しろ、鉄をこれだけ増産しろ、と。

1953年に始まった五カ年計画は、スターリンの真似をした政策です。地主制度をなくした、共産党が計画までつくった。あとは人民が生き生きと働くはずだ、と。ところが、人民が計画通りに働かず、怠ける者がたくさんいる。そこで、党が監視する必要が出てきます。「怠ける者、文句を言う者は反革命だ。裏切り者だ。人民の敵だ」と、処刑しました。恐怖によって人民を働かせるわけですが、この方法論もスターリンから学んだものです。

**松本**　共産主義を含めた社会主義の問題点は、前回の講義でもお話がでた「性善説」に立脚していることですね。

1950年代から60年代にかけての中国共産党は大粛清を行い、中国は停滞し、世界の流れからも取り残されました。その教訓は、私たちの日頃の人生においても生きるような気がします。「性悪説」に則ったほうが、失敗は少ないだろうということです。最終的に、ソ連という国は1991年12月になくなってしまいます。

**茂木**　ソ連末期には、恐怖政治でやってもどうにもならないくらい経済がガタガタになっていました。「このままでは資本主義のアメリカに負けてしまう」ということで、ソ連共産党は「アメリカはなぜあんなにうまくいっているのか」ということを考えます。

その答えは、「市場経済で、個人個人が自由に儲けているから」でした。「生き残るためには敵に学ぼう」「共産党の方針には合わないが、アメリカに勝つために市場経済を導入しよう」としたのが、ソ連最期の最高指導者であるミハイル・ゴルバチョフです。彼はこの政策を、「ペレストロイカ（立て直し）」と呼びました。

**松本**　ひとつ疑問があります。ソ連は解体したのに、なぜ中国共産党はいまも続いているのでしょうか？

**茂木**　中国でゴルバチョフと同じことをやったのが鄧小平（とうしょうへい）です。鄧小平の改革は1970年代には始まっていました。アメリカはソ連を孤立させるため、また中国市場に参入するために、鄧小平の改革開放政策を積極的に後押し、中国経済を急成長させました。ゴルバチョフがペレストロイカを始めたのは1980年代後半になってからで、遅かった。ソ連という国家がどうにもならない状態、まるで大病の末期に、市場経済という強い薬を飲むような状態だったので崩壊してしまいます。

**松本** もし中国に鄧小平が出てこず、ズルズルと社会主義経済を続けていたら、ソ連のように解体した可能性もありますね。

## 社会主義とはいったい何だったのか

**松本** なぜ、いまだに社会主義に心酔する人がいるのでしょうか？

**茂木** きわめて深い質問です。人間に「嫉妬」という感情がある限り、社会主義はなくならないと思います。金持ちに対する嫉妬ですね。ニーチェは「ルサンチマン」という言葉を使っています。恨み辛み（うらつら）の感情のことです。

**松本** ニーチェの「ルサンチマン論」は、社会主義の分析にも当てはまりますね。ルサンチマンが消えない限りは、社会主義に心酔する人も一定数は出てしまう。

**茂木** 必ず出てしまうと思います。それが多数派にならないように、うまく調整するのが政治の役割です。

**松本** ある程度の富が社会に行き渡り、人々がルサンチマンを持ちにくい状態にする、ということですね。

**茂木** そのためには、経済成長することが重要です。

**松本** みんなが稼げるような社会になれば、ルサンチマンも持ちにくい。

**茂木** あとは「機会の平等」、つまり社会の流動性の確保です。「入れ替わりができる。リベンジができる」――そういう社会にするべきです。

**松本** 本章の最後の質問です。社会主義とはいったい何だったのでしょうか?

**茂木** 「史上最も美しい理想を掲げ、史上最も悲惨な結果を招いた運動だった」と僕は思います。誤解をしてほしくないのは、ここで非難しているのは、ロシア革命型、中国革命型の一党独裁・官僚統制国家の社会主義、いわゆる共産主義のことです。

それとは違う社会主義には、先に触れたバクーニンやヨーロッパにおける修正主義、あるいは西欧諸国の共産党が採用したユーロコミュニズム、選挙を通じた社会主義路線があります。例えば、戦後日本の自民党政権が実現した公的年金制度、企業の終身雇用制度、企業間の競争を抑える護送船団方式は、ある意味で社会主義の良い部分を取り入れた政策だったといえるでしょう。

**松本**　資本主義に社会主義思想の良い面を取り入れながら、武力革命や一党独裁のような方向に進んでいく危険性については注意していく、ということですね。

三限目

# 21世紀は〝全体主義〟の時代になる!?

PART 1

# なぜ「全体主義」が蔓延るのか

## 小説『１９８４』が現実の世界に!?

**松本**　三限目のテーマは「21世紀は全体主義の時代になる!?」です。いま、個人の自由が制限されるような風潮が、日本だけでなく世界中に広がっているように思います。複雑怪奇な国際社会の中で蔓延る（はびこ）全体主義（totalitarianism）について、茂木先生はどのように感じていますか？

**茂木**　最近、学生の頃に読んだ『１９８４』という小説をもう1回読み直したのですが、ぞっとしました。「もう、始まっている」と。

**松本**　ここ数年、『1984』はブームが再来していますね。

**茂木**　アメリカでも売れていて、2017年、ドナルド・トランプの就任式前後にamazon.comの書籍売上で1位になり話題になりました。

**松本**　『1984』はイギリスの作家ジョージ・オーウェルが1949年に発表した小説ですが、ご存じでない方もいらっしゃると思います。

**茂木**　『1984』は、第二次世界大戦が終わった直後、これから冷戦が始まるというときに、40年後の世界を予感して書かれた近未来小説です。

小さな国々は核戦争で滅びてしまって、生き残っている3大国「オセアニア」「ユーラシア」「イースタシア」が、覇権争いを続ける世界です。ユーラシアはロシアあるいはソ連を大きくしたような国、イースタシアは日本と中国が一緒になったような国、オセアニアはアメリカとイギリスが合体したような国です。面白いのは、3つの国がすべて全体主義国家だということです。一党独裁で、全国民が監視されています。

小説の舞台はオセアニアです。国民の各家に「テレスクリーン」というものが設置されているのですが、このテレスクリーンは双方向の通信端末なのです。政府からのプロパガンダが24時間流れていると同時に、家の中の会話はすべて盗聴され、画像も撮られ、党中央に筒抜けになっています。恐ろしい世界です。

オセアニアには「真理省」という官庁があります。「真理」を守ることを目的とした官庁ですが、実際は歴史の改ざんをやっています。そして、真理省に勤めているウィンストンという男が、ある日突然、覚醒してしまうのです。「俺のやっている仕事は嘘だ」と言って、テレスクリーンに映らない場所で日記を書き始めます。『1984』はそこから始まります。隠密行動を続け、自由を求める同志との接触に成功したウィンストンも、秘密警察によって拘束され、恐ろしい拷問を受けます。

**松本** タイトルの年号1984年から、またさらに40年ほどが経ちました。テレスクリーンによる監視ということで言えば、今は技術的にできる時代になっています。アメリカで『1984』がブームになったのは、トランプがバイデンに敗れた2020年の大統領選挙あたりから全体主義が意識されるようになったからだと思います。

**茂木** プロパガンダを流す大手メディア、テレビや新聞に個人が抵抗する手段として、端末で言えばスマホ、ツールで言えばYouTubeやTwitterといったSNSが武器になるだろう、と僕は考えてきました。大手メディアを敵にまわしたトランプも同じことを考えていて、「大手メディアは全部フェイク・ニュースだ」と言ってTwitterでしか発信しなかった。一貫してそれで選挙戦を戦い、フォロワーものすごい数になりました。

あの大統領選挙に際しては、新型コロナ対策を口実に民主党側が郵便投票を奨励し、投票締切後の深夜に大量の郵便投票が持ち込まれたり、投票マシーンの不具合が続出したりと謎めいたことがいろいろ起こったのですが、大手メディアは一切報道しない。そこでトランプのチームが、状況や裏付けの証言などをTwitterで発信しました。

明けて2021年、投票結果を連邦議会が承認する1月6日に大事件が起こりました。「票が盗まれた！」と訴える数万のトランプ支持者が議会を囲む中、一部の暴徒が議事堂に突入し、死傷者を出したのです。トランプは支持者を前に演説し、「暴力はダメだ、警察に敬意を示そう！」と呼びかけ、その様子はTwitterで配信されました。

このときTwitter社がトランプのアカウントをバン（表示制限）したのです。しかも永久バンです。チームのメンバーもどんどんバンされ、発信できなくなった。仕方がないのでトランプは、同じような機能を持つSNSのParlerに移りました。そうしたら、今度はParlerが使用禁止になった。Parlerは新興企業なので自前のサーバー（記憶装置）がなく、Amazon社のサーバーを借りていましたが、Amazon社がParlerを追い出したのです。

トランプ陣営が何も発信できなくされた一方、大手メディアは「トランプが議会突入事件を煽った」と真逆の報道を始めました。日本の大手メディアはこれをそのまま翻訳して流したので、いまでも「トランプが1月6日事件の首謀者」と信じている人が多いでしょう。

この一連の流れで何が重要かというと、GAFA（Google, Apple, Facebook, Amazon）などの大手IT企業、いわゆるビッグテックが特定の政治勢力（民主党）と結託・談合してしまうと、言論統制が可能になるということです。

**松本**　SNSこそ大手メディアに対する武器、つまり「脱中心化」の手段になりうると期待されていたわけですが、実はSNSこそが、全体主義化する危険性があるということですね。

**茂木**　SNSには物理的なサーバーというものが必ずどこかにあります。そこを押さえられてしまったら、もう個人の力では太刀打ちできません。

## 全体主義の条件①「抑圧されている側が抑圧者になれる」

**松本**　今回は哲学から全体主義を考え直してみたいのですが、全体主義をテーマにした哲学でまず思い浮かぶのは、やはりドイツ生まれの米哲学者ハンナ・アーレントでしょうか？

**茂木**　アーレントは1951年に『全体主義の起源』という、そのものズバリの本を書いていますが、僕は少し議論が散漫だと思いました。

全体主義に触れているのは第3巻で、反ユダヤ主義や帝国主義の話になってしまっている。必ずしも反ユダヤとは関係のない全体主義もあるし、帝国主義にはならない全体主義もある。まず、その認識をはっきりさせておきたいと思います。松本先生は、全体主義とは何だと思いますか？

**松本**　個人がバラバラになっているときに、ある一つの中心から強烈な情報が割って入ってきて、人々がそれを信じ、信じない者には罰（例えば、収容所に入れられる）で管理された状態である、というのが全体主義のイメージです。

個人がバラバラになっていない社会、例えば階級社会や地域で固まっている共同体がいくつかあるような社会ではなかなか全体主義は起こりにくいのではないかと、アーレントも言っています。

**茂木**　そのほかに、「全体主義の条件」はありますか？

**松本**　秘密警察ですね。秘密警察の暗躍が全体主義には伴うと思います。

**茂木**　中央から押し付けられて情報が一元化され、違反するものはどんどん投獄・処罰されていく社会というのは、2000年以上前から世界中にあります。例えば、紀元前3世紀に秦の始皇帝がやっています。では、始皇帝の体制は全体主義でしょうか？

**松本**　いえ、全体主義とは呼ばないでしょう。

**茂木**　何が違うのでしょうか？

**松本**　秦の始皇帝を全体主義と呼ばないのに、20世紀の第三帝国（ナチス・ドイツ）は全体主義と呼ぶ。その違いは何か、ということですね。

全体主義は、先に触れた「個人がバラバラになっているような状態から生じている」ということだと思います。それから、情報を拡散させるときの媒体、メディアが大きな形になっていなくてはならない。始皇帝の時代は、個人がバラバラだったとは言えませんし、情報がきわめて早く広く伝わることもなかったでしょう。私の考える全体主義というのは、その背景にテクノロジーの発達がある。個人がバラバラになれる、つまりそれだけ豊かさが広がっている。そしてこれは、20世紀以降の典型的な現象だろうと思います。

**茂木** 僕が考える全体主義も、基本的には松本先生の定義と重なります。それにプラスして、「抑圧されている側が抑圧者になれる」ということがあります。例えば、裏切り者を密告することで、密告者は抑圧者になれる。それによって何が起こるかというと、心理的に自分を絶対権力と一体化することができるのです。

**松本** 秦の場合は、始皇帝という絶対的な権力の主体があり、そこから発せられる権力は一方向で、人民が政治参加しているという意識はなかった。しかし、現代における全体主義は情報を受ける側でも権力の主体になれる。

**茂木** おそらく、ヨシフ・スターリンがそのシステムをつくった。人民は密告をすることで、巨大な党組織の末端として、党や国家に貢献しているという意識を持てる。

**松本** ナチス・ドイツよりもスターリンをイメージして考えるほうが、全体主義についてはわかりやすいだろう、ということですね。

## 全体主義の条件②「国家とは別の中央組織がある」

**茂木**　もうひとつ、全体主義の条件としては「国家とは別の中央組織がある」ということです。例えば、ソ連時代の共産党です。共産党はロシアという古い国家を乗っ取ってしまった。ナチスもまた、ドイツという国家を乗っ取ったのです。

**松本**　確かに、共産党やナチスは、党であり国家ではありませんでしたね。

**茂木**　国家の外側にいて、国家より上なのです。したがって、国家機構はどうでもいい。例えば、国会です。一応、当時のドイツにもソ連にも国会はありました。しかし、まったく無意味でした。それから、国家元首です。ナチス党党首のアドルフ・ヒトラーは国家元首になりましたが、ソ連に至っては誰が国家元首なのかわからない。一応、最高幹部会議長が国家元首の立場ですが、それはお飾りであって実際には共産党の書記長がトップです。

**松本** 書記長というのは、社会主義・共産主義政党や労働組合の役職のひとつですね。この「書記」は、普段よく使われているような「会議で議事録をとる」いう意味ではなく、事務全般を意味します。

**茂木** 書記長は「事務方のトップ」ということですが、露骨に言えば「人事権者」です。

**松本** 自民党の「幹事長」をイメージするとわかりやすいかもしれません。国会議長、あるいは首相、あるいは大統領から見れば格下であるはずの書記長・幹事長ではあるが、それは人事権と情報が集まるようなポストであって、そこに就いた人物がむしろ権力を持つ。

**茂木** 今のチャイナも同様です。中華人民共和国というのは虚構です。実際に統治しているのは中国共産党です。共産党の総書記（＝書記長）が権力を握っているから、国家主席は誰でもいい。習近平は総書記で国家主席を兼ねていますが、国家主席はただの肩書きです。習近平の権力の源泉は、共産党総書記としての人事権なのです。

## 全体主義の新しい身分制度

**松本**　かつて日本に、「院政」という政治体制がありました。天皇ではなく、上皇が実質的な権力を持っていました。これは「書記長」と似ているのでしょうか?

**茂木**　いえ、まったく違います。日本の院政や摂関政治は、天皇の権力を空洞化させてむしろ権力分散に向かいましたから、真逆だと思います。

先ほど階級社会が全体主義の防波堤になるというお話が出ましたが、実は全体主義が新しい身分制をつくってしまうこともあります。党員と非党員、党内の幹部と非幹部などです。

**松本**　共産党の中でも、ヒエラルキーができてくるわけですね。

**茂木**　古い身分制を壊しても、結局、新しい身分制ができてしまう。ソ連時代には党幹部のことをノーメンクラツーラといい、「赤い貴族」とも呼ばれました。北朝鮮では、全人民が三代にわたって職業や言動が調査され、「出身成分」という身分制が固定されています。成分というのは、端的に言えば「血統」です。地主の家に生まれたら、共産主義体制下では一生出世できません。

キム・ファミリーと労働党幹部の「核心階級」がエリート層で、首都ピョンヤンに住むことを許され、それ以外の「動揺階級」を監視下におき、地主や資本家、対日協力者の子孫である「敵対階級」は強制労働で酷使されているのです。

**松本** そうなると、アーレントの言う「階級社会では、全体主義は起きにくい」というのは一面的ですね。全体主義の中から新たな階級社会が派生し、血統による階級差別もある。

**茂木** ナチズムは10年余りで終わりましたから、そこが顕著になりませんでした。ところが、ソ連、中国、北朝鮮では70年の時間が経ち、そこには明らかに新階級が生まれていました。個人的には、もしナチス・ドイツが生き残っていたらどうなっていたか、という興味があります。

**松本** 権力が上から一方向に流れるだけではなく、抑圧される側も誰かを抑圧していく形になる。全体主義にはそういう性質があり、だからこそ新しい身分社会を生み出すことになる。

**茂木**　密告することに励むと、上の階級に行けるかもしれない。そして、これが重要なことなのですが、完成された全体主義においては、実はイデオロギーはどうでもいいのです。

**松本**　もはや、共産主義でなくてもいいということですね。

**茂木**　その通りです。民衆は盲目的に従うことが要求されるだけ。命令に従うことが絶対であり、真実はどうでもいいのです。『1984』では、オセアニアの独裁者ビッグ・ブラザーが「敵はオセアニア」と言っていたのが、一夜にして「敵はユーラシア」と変わったため、真理省では歴史の書き換えに忙殺される、という滑稽なシーンが出てきます。

**松本**　西洋の哲学では、古来「真善美」というものが重んじられてきましたが、正反対ですね。

**茂木**　全体主義には、もはや「真」も「善」も「美」もない。「力」しかありません。そして、「恐怖」で支配されるのです。

## 「力」の思想家ニーチェと全体主義は水と油

**松本**　ここで、全体主義を考える上での補助線として、「力」の思想家ニーチェについて言及してみたいと思います。ニーチェはこの世を生きる一つの根源として、「力への意志」を唱えました。ニーチェ研究者がよく言うのは、「ニーチェがドイツ第三帝国で利用されたのは、利用したほうが悪い。ニーチェ自身はナチズムを非常に嫌っていたし、反・反ユダヤ主義でもあった」ということです。

ただし、ニーチェの思想に「力への意思」があったことは間違いありません。全体主義は「真善美」ではなく、「力」しかないとすると、「ニーチェが全体主義の種をまいた」と考えられるのではないでしょうか？

**茂木**　僕は、ニーチェは究極の「リバタリアン」（libertarian）だと思っています。松本先生もそのお一人だと思いますが、自由至上主義者ですね。いかなる権威に従うことも良しとせず、自立して生きる。「誰も守ってくれない状況でも一人で生き抜く」のがリバタリアンです。でも、個人が強くないとそういう風には生きていけない。

**松本**　ということは、ニーチェと全体主義は結びつかない？

**茂木**　もしニーチェが1930年代のドイツにいたら、真っ先に拿捕（だほ）されて処刑されていたでしょう。「ハイル・ヒトラー！」なんて、彼は絶対に言わない。

**松本**　ニーチェは確かに「力」の思想家でした。しかし「力」というキーワードだけで、ニーチェと全体主義を結びつけるのは安易だということですね。

**茂木**　ニーチェは、「個人の力」を最大限に発揮しようとした人だと思います。ナチス・ドイツは、個人の力を最大限に潰そうとしたわけですから真逆です。ニーチェが精神錯乱したあと、その面倒を見て遺産相続人となった妹のエリザベートが悪かった。兄の思想を曲解して、ナチスに売り込んでしまったのです。

**松本**　のちのナチスに利用されたことは、ニーチェにとっての不幸でしたが、そこには妹エリザベートの関与があったのですね。これは忘れてはならないことだと思います。

PART 2

# 「全体主義」の起源

## 「全体主義への道」をつくったプラトン

**松本**　ＰＡＲＴ2では、古代の哲学者プラトンから始めてみたいと思います。プラトンは紀元前5世紀から4世紀にかけての哲学者です。古代ギリシア時代ですから、奴隷制があったという前提になります。

よく知られていることですが、プラトンは「階級間での移動はないほうがいい」つまり「階級は固定したほうがいい」と考えていました。「奴隷は奴隷のままその階級に甘んじていなさい。つまらぬ夢を持ってはいけない」という。階級の固定を支持するプラトンの議論について、20世紀のカール・ポパーというイギリスの哲学者は、「プラトンあたりから、全体主義の起源はあった」と言っています。このプラトンの階級固定論について、茂木先生はどうお考えでしょうか？

**茂木**　プラトンが暮らしていたのは、ギリシアのアテネという都市国家です。アテネをはじめとする当時の都市国家は、すでに貨幣経済でした。古い共同体、あるいは種族というものがもはやバラバラになっていて、まさに個人がアトム（原子）になっていた。アテネでは、プラトンの出る少し前に公式に部族制度の解体が行われました。

**松本**　1950年にアメリカの社会学者デイヴィッド・リースマンが言った「孤独な群衆」は、紀元前のアテネにすでに存在していたわけですね。

**茂木**　アテネはあの段階で、すでに〝20世紀〟でした。古い伝統的なコミュニティが崩れ、バラバラの個人が流動しているような社会でした。そして、何かあれば「多数決で決めよう」ということになっていた。物事は、民会（市民総会）に集う市民が多数決で決めていました。つまり、民主主義も行われていたのです。

寄る辺なき民衆が常に不安に苛まれている、そこに「デマゴーグ」と呼ばれる扇動政治家が現れて民会を左右する。そのような状況下で、「大衆が一時の感情で多数決で物事を決めるアテネの政治は衆愚政治だ。責任のある少数の指導者が政治を決定すべきだ」と考えたのがプラトンです。

プラトンの師にソクラテスという哲学者がいました。ソクラテスは無実の罪で訴えられ、民会の裁判で死刑判決を受けて、毒ニンジンを飲んで亡くなります。それを見ていた弟子のプラトンはこう考えました。

「本来であればアテネを指導すべき人間を、愚かで下劣で文字も読めないような群衆が多数決で殺してしまったのだ」と。

**松本**　民主主義で、賢人を殺してしまった……。

**茂木**　絶望したプラトンは、少数の「エリート」、プラトンの言葉で言えば「哲人」が指導する「哲人政治」を実現すべきだ、と考えたのです。

プラトンの理想はスパルタだったようです。スパルタは、総人口のうち10％がエリートで残りは奴隷というウルトラ階級社会でした。ただし、スパルタは知性を軽んじる、きわめて武闘派の国でもありました。スパルタに知性を持ち込めば完璧な国家ができる、というのがプラトンの考えです。

**松本**　武闘派のスパルタに知性をプラスすれば、上位10%＋下位90%の体制で十分いける、ということですね。20世紀のナチス・ドイツも「ワイマール民主主義に対する絶望から始まった」と言えます。

**茂木**　それはロシアも同じです。共産主義のイデオロギーは、いわゆる「前衛」というエリート共産党員が全人民を指導する、という形から実現していきます。そこは非常にプラトン的です。

**松本**　そのプラトン的なものとは、やはり全体主義ということでしょうか？

**茂木**　全体主義に向かう方向性はプラトンに始まると思います。彼は「秘密結社をつくれ」「収容所をつくれ」などとは言っていませんが、方向性をつくったことは確かでしょう。

## ヘーゲルが提唱した「絶対精神」とは？

**松本**　カール・ポパーが書いた1945年刊行の『開かれた社会とその敵』という本の

中で、プラトンから急に時代が飛びヘーゲルとマルクスという19世紀のドイツ哲学者が論じられています。プラトンが全体主義の方向性をつくったとすれば納得がいきます。「ヘーゲルからマルクスへ」という思想の流れについてはいかがでしょうか？

**茂木** 実は僕、ヘーゲルが苦手でして（笑）。

**松本** ヘーゲルと言えば、「絶対精神」です。絶対精神がどんどん肥大化していって、やがてそれが独り歩きしていく。人間の歴史は絶対精神の歩みの歴史であり、その歩みは、「弁証法」という道具を使うことで「正・反・正反合」を繰り返しながら徐々により良いものになっていく。それによって人類は進歩していき、歴史はより良き方向に向かっていく。したがって、そこには個人が入り込む余地はほとんどない。そして、絶対精神が展開していく枠組みは国家である――。

**茂木** 絶対精神とは、ヘーゲルによって提唱された哲学用語ですね。個人ではなく人類全体の「精神性」のようなもので、これが進歩していく。彼によれば、「精神の本質というものは、個人の内部ではなく、外部にあり、根拠を持たぬものである」らしい。

**松本** 私は、ヘーゲルの国家論に全体主義の芽がある、と思えます。絶対精神がどんどん自己展開していく中においては、個人の喜怒哀楽は関係ない。悲しみや苦しみが起きたとしても必要悪でしかない。もっと言えば、ヘーゲルの哲学によって、手段が目的によって正当化されるという理論が成立します。結局、ヘーゲル右派が20世紀の全体主義へとつながっていったことは、哲学史を語る上で外せません。

**茂木**　ヘーゲルは具体的に国家モデルを提示したわけではないが、思考の枠組みが全体主義的だった、ということですね。

**松本**　ヘーゲルが盛んに著述していたのは19世紀初頭(18世紀から19世紀を跨ぐ30年間)ですから、国家としてドイツはまだプロイセンでした。ヘーゲル哲学は、プロイセンの国家観においては都合が良かったのだろうと思います。これについては、プロイセン当局に悪用されただけだと、ヘーゲルの研究者は擁護しますが。

**茂木**　プロイセンという国家は、「ユンカー」と呼ばれる土地貴族が支配する、伝統的な階級社会でした。ヘーゲルはそこにはまったく反抗せず、政府から好かれる俗物官僚となった。だから、僕はヘーゲルが好きではないのです。

**松本**　その後、ヘーゲルの弟子としてマルクスが登場し、ここから共産主義が始まります。簡単に言えば、共産主義とは「生産手段の共有によって、社会の富の公平な分配を行う」ということです。貧富の格差が拡大した時代においてはとても魅力的に見える思想だった、かもしれません。

## 史上初！「共産主義国家」の誕生

**松本**　20世紀になって、共産主義を唱えた国が登場します。まずはロシア、そのあとに北朝鮮、中国、東ヨーロッパなどです。しかし、共産主義国はおしなべて全体主義になってしまうということを考えると、マルクス思想の中に全体主義の芽があったと見ていいでしょうか？

**茂木**　マルクス思想が発展する方向には、さまざまな可能性がありました。実際に、社会民主主義やユーロコミュニズムが登場しました。

マルキシズムの別の枝がレーニン主義で、これがソヴィエト社会主義共和国連邦と中華人民共和国という巨木になってしまった。僕は、共産主義がロシアと中国の大地で実現したことは、土地や伝統的な民族性にぴったり合ったからだと思っています。

**松本**　多くの人は、共産主義はロシアや中国で偶然のように突如起きた、と思っているかもしれませんが、やはりそこには共産主義を受け入れる下地があった。

**茂木**　むしろ、「先祖返り」と言ったほうが正しいかもしれません。

**松本**　「ソ連時代に収容所がつくられた。秘密警察によって厳しい監視が行われた」などと言われますが、それらはレーニンが初めてやったわけではない。

**茂木**　イワン雷帝が16世紀にロシアを統一した時代からやっています。ソ連のKGBは、イワン雷帝が創設した「オプリーチニキ」と呼ばれる秘密警察の名前が変わっただけです。

**松本**　中国も同じですね。そういうところに共産主義がピタッとはまった。共産主義のもとで、帝政の頃にやっていたようなことをもう1回、新たな装いでやり始めた。

**茂木**　中国の人権抑圧は、紀元前3世紀の始皇帝からはじまっています。

**松本**　そうなると、イデオロギーだけで考えることはやめたほうがいいかもしれませんね。全体主義については、「土地の権力構造」など国や地域の歴史・風土・地政学的な見地からも考える必要がある。

**茂木**　はい、僕はそう思っています。カール・ウィットフォーゲルというドイツ人の中国史学者が、「東洋的専制」という概念でこれを歴史的に説明しています。

**松本** その一方、違う形の社会主義、マルクスから枝葉を伸ばしていった社会民主主義は、今の社会にも影響を与えています。例えば、医療をはじめとして国民の保険が充実するとか、みんなが教育を受けられる仕組みであるとか、これは確かに良いことでしょう。しかし、これらはもとをたどれば社会主義です。

リバタリアンもまた、もともとは無政府主義にその芽を持っています。その無政府主義も、マルクスあたりから出てきました。すべてを「全体主義者」としてマルクスを全否定するというのはナンセンスということですね。

**茂木** 全体主義はマルクス思想の、ある一面でしかありません。

## 「全体主義への扉」を開いた、ホッブズとルソー

**松本** ここまで「全体主義」について講義を進めてきましたが、他に茂木先生が注目する人物はいますか?

**茂木** やはり、ジャン・ジャック・ルソーですね。

**松本**　ルソーにも、全体主義の芽があった。

**茂木**　ハンナ・アーレントも言っていますが、ルソーの何が危険かというと「一般意思」という考えがあるからです。一般意思とは、共同体（国家）の成員である民衆が総体として持つとされる意志のことです。

一般意思の逆が、個別の「特殊意思」です。今日はこれが食べたいとか、今日はこの服を着て外に行こうとか、今日はあの人と会おうとか、これらは「特殊意思」です。「民衆がバラバラに暮らしている自然状態では、特殊意思でかまわない。しかし、国家というコミュニティを形成するためには、一般意思に統一しろ」とルソーは言う。「個人のためではなく、公共のために生きろ」と。

公共のために我慢しよう。財産を差し出そう。勤労奉仕に出かけよう。これが一般意思です。個人個人が自分の自由な意思を押し殺して国家に迎合するようになっていく。

**松本**　個人が自分の意思を殺して、一般意思のほうに従属してしまう。これこそ、全体主義ではないですか。

**茂木**　すると、その人は主観的には国家と一体化し、支配される側から支配する側に変わります。国家が要求する一般意思に、自分自身を投影してしまう。自分と一体化した国家への反逆者は許せなくなる。その瞬間に、その人は独裁者の手先になる。そして、自分の家族や恋人さえ見殺しにします。

**松本**　東ドイツでも、ロシアでも、チェコスロバキアでも、そういうことがありました。おそらく、今の北朝鮮でもあるでしょう。

**茂木**　共産圏の国々がまずやったことは「家庭の破壊」です。家庭を破壊して、子供たちだけを集めて洗脳する。「親を監視しろ」と教育するのです。

**松本**　もうひとり、『リヴァイアサン』で有名な17世紀イギリスの哲学者トマス・ホッブズは全体主義と言えるでしょうか？

**茂木**　ホッブズはルソーの先輩にあたる人です。彼はイギリス革命期に生きた人ですから「伝統」にはあまり興味がなく、国家の成り立ちを、まずバラバラの個人というものに設定しました。バラバラの個人が、まさにルソー的な言葉で言えば特殊意思で争って生きているのをやめにして「コモンウェルス」、つまり共同体をつくる。これが国家だ、ということです。もともとはホッブズの発想だったものをルソーが模倣したので、そういう意味では、全体主義への扉を開いたのがホッブズだとも言えます。

PART 3

# 「全体主義」にどう立ち向かうか

## リバタリアニズムは全体主義への防波堤

**松本**　ここまで、全体主義の思想背景とその危険性についてお話ししてきました。PART3では、全体主義に対して私たちはどのような理論武装したらいいのか、その方向性を考えてみたいと思います。

本講義で何度か出てきた「リバタリアニズム」（libertarianism）を補助線にしてみましょう。全体主義が、国家という名のもとに個人を抑圧する思想だとするなら、個人にとことん寄り添う思想のリバタリアニズムで対抗できるのではないでしょうか？

**茂木**　リバタリアニズムは、個人的な自由、経済的な自由の双方を重視する、自由主義上の思想・哲学です。ですから、リバタリアニズムは全体主義から見て最も対局にある思想だと思います。

**松本**　リバタリアニズムは、もともと無政府主義から出てきました。歴史的には共産主義と軌を一にして出てきた思想ですが、やがて共産主義と決別しました。

その後、「資本主義の中でも無政府主義はできる」というところから、「資本主義リバタリアニズム」あるいは「資本主義・無政府主義」という考え方も出てきました。この資本主義＋無政府主義の流れで、今、アメリカおよび世界のリバタニアニズムはおおかた統一されていると思います。資本主義を堅持しながら個人の自由も大切にするというリバタリアニズムは、全体主義の強力な防波堤のひとつになりうる。

**茂木**　全体主義という悪魔は最初、「貧しい者を救う」「抑圧された者を救う」と言って忍び寄ってきます。そして「君たちを苦しめている敵がいるから、一緒に戦おう」とささやき、徐々に洗脳する。「敵は資本家だ」というソ連共産党も、「敵はユダヤ人だ」というナチス・ドイツも同様です。

善意から共産党やナチスに入った人も大勢いた。つまり、「さまざまな個人の抱えている問題を何か大きな力にすがって解決しよう」という心の持ちようが、実は全体主義の扉を開いてしまうのです。

**松本**　これからの時代、私たちは個人として強さを持っていかなければいけない。力を持っていかなければいけない。その力というのは、全体主義が及ぼしていく力とはまったく違う力である。茂木先生は、個人が力を持つ社会というものをどのようにイメージされていますか？

**茂木**　ここにまた、別の落とし穴があるのです。個々人が競争すると、勝ち負けがつきます。「頑張ってもダメだった」という人が必ず出てくるわけです。そういう人たちは、やはり全体主義という悪魔に呼び戻されていく。最近のアメリカで暴れている人たち——ブラック・ライヴズ・マターやアンティファの運動がそうです。その根本には、貧しさや孤独があると思います。

## 身のまわりの小さなコミュニティの大切さ

**松本**　1960年代末、1970年代から、「現代思想」あるいは「ポストモダン」と呼ばれる哲学がフランスを中心にして発生します。このポストモダンこそ、個人が全体主義にいかに絡め取られないようにするか、という問題を追い求めた哲学だったと考えています。

ポストモダンにおける社会システムの形はどういうものかというと、小さな集まりがあちこちにできて、個人もどちらに行くかわからない状態をいつも確保しておきながら社会が流動していく、というイメージです。このイメージが、「リゾーム」（異質なものが結びつく根茎、根っこ）あるいは「マルチチュード」（多数性、群衆性）と呼ばれたりしています。

**茂木**　社会的にはこれが全体主義に対する一番の防波堤になると思います。個人で生きていけないのであれば、家族でも地域でも、何か小さな仲間で助け合う。

**松本**　自分のまわりの小さなコミュニティを大事にして、そしてその中ではできるだけ個の力が最大化される場面をつくっていこう、ということですね。そうなると、やはり友人選びは大切ですね（笑）。

**茂木**　友人とまではいかなくとも、近所で挨拶するぐらいのゆるい関係をイメージすればいいと思います。1人で生きていこうという人が最近は多いようですが、身のまわりに顔なじみがある程度いたほうが安心できます。そうしておけば、何か困ったときに、少しは相談できるかもしれない。それがまったくない人というのは、本当につらいでしょうね。震災の時に、被災地で暴動も略奪も起こらないのは、そういう助け合いのコミュニティが瞬時に形成されるからです。日本人はまだそういう力を持っているのです。

## 「狂人を排除しない社会」を守れ

**松本**　全体主義を防ぐという議論においては、いわゆる「狂人」を社会から排除しない、という考えもあります。つまり、何を言い出すかわからない人、何をやり出すかわからない人を話し合いの場所に参加させる、ということです。
これは馬鹿なことを言っているようでいて、実はこれこそがポストモダンの要件だと思います。ポストモダンを代表する人物にジル・ドゥルーズがいますが、彼においても「精神分裂（統合失調症）」ということが一つの社会モデルとして提案されています。一般的な考え方とは違う人が議論に加わる状況をつくり出すことが不可欠だ、という。

**茂木** 僕の頭に浮かんだのは、ドナルド・トランプです。彼のような人は、社会には必要なのです。

**松本** アメリカ社会は今、トランプを排除しています。そして、日本人の多くが、それをなんとも思っていない。

**茂木** リン・ウッドというトランプの弁護団長がいました。彼に対し、弁護士組合が「精神鑑定を受けろ」と言いだしたことがあります。「精神鑑定を受けなかったら除名する」というのです。これは共産党の常套（じょうとう）手段です。反体制派を精神病院にぶち込む。アメリカでも始まってしまったと思い、ぞっとしました。

**松本** トランプは頭がおかしい、リン・ウッドも頭がおかしい。トランプのサポーターも頭がおかしい。だから、彼らの発言はバンしてしまえ、と。

**茂木**　これこそ、全体主義です。

**松本**　２０１６年から２０２０年というのは、「狂人」のような人物がアメリカ大統領をした稀有な４年間だった。そしてそれを、アメリカ国民が潰した。これがアメリカにビッグテック全体主義を招き寄せた……。考えの違う存在を排除しない社会、を常に心がけなければいけませんね。

## 「和」の精神の源は「信頼感」

**松本**　「和」の精神が日本にはあると思いますが、これと全体主義は結びつくでしょうか？

**茂木**　「方向性が違う」としか言いようがありません。和というのは水平です。「人様」という言い方が日本人は好きでしょう。「人様に対して申し訳ない」とか「人様が見ていますよ」とか、その人様（他者）は水平であって垂直ではない。つまり、常に権力が上にある全体主義とは根本的に違うと思います。

**松本**　日本人は案外、全体主義への免疫を持っているのかもしれません。

**茂木**　1930年代に、日本は全体主義を試みました。大政翼賛会などの仕組みをつくりましたが、まったく機能しなかった。

**松本**　日本共産党もマイノリティのままです。日本に希望が見えるのは、和の精神が全体主義とは異なる点ですね。

**茂木**　日本人同士には大前提として、知り合いでなくともなんとも言えない信頼関係がある。「電車の中で譲りあう」あるいは「いきなり殴ってはこないだろう」という信頼感。これがある限り、全体主義の防波堤になり続けると思います。

同じ方向へみんなで動く。「マスクをしよう」という合意、「空気」ができると、ほぼ全員がマスクをする。日本人を動かしている要因は「人様との繋がり」です。一見、全体主義と誤解されますが、別に罰則もなく、政府が強制しているわけでもないのです。

全体主義は、人との繋がりが切れています。個人はバラバラで「空気」なんかなく、そこにあるのは、信頼ではなく恐怖です。一緒に行かなかったら捕まる、拷問される、処刑される。だから同じ行動をする。ピョンヤンの市民集会はまさにそうで、あれは「和」ではありません。

# 四限目

# 再評価されてきた〝保守主義〟

# 中世の「保守主義」と地政学

## なぜ保守主義はイギリスで生まれたのか

**松本**　四限目のテーマは「再評価されてきた保守主義」です。いま世界中でグローバリズムが持て囃（はや）される反面、国や地域の特徴や伝統を守るために「保守主義」（conservatism）が再評価されています。この保守主義という思想を辿ると、イギリスに行き着くと思うのですが、茂木先生いかがでしょうか？

**茂木**　僕は長く地政学を補助線として世界史を考えてきました。その中で、政治思想史も地政学と繋がるとわかったのです。

保守主義が生まれたのはイギリスです。イギリスには守るべきものがあったからです。それは、伝統的な社会や慣習法（コモン・ロー）であり、王室です。これに対してヨーロッパ大陸の国々、フランスやロシアでは、保守すべきものを革命でぶっ壊してしまった。「すべて壊して、イチから出直し」ということを繰り返した。

イギリスは島国で大陸国家からの支配を受けなかったため、ゲルマン、もしくはその前のケルト時代の古い伝統がいまも残っています。同じ島国である日本も、大陸国家の支配を受けなかったので、縄文以来の伝統が残っています。基本的に日本人の感性とイギリス人の感性は似ています。したがって、日本人は非常に保守主義と相性がいいと思います。

**松本**　保守主義という見地から、日本とイギリスは手を組みやすい。守るべきものというのは、例えば、日本で言えば皇室であり、イギリスで言えば王室ですね。

**茂木**　それから伝統宗教ですね。日本では自然崇拝の神道が外来の仏教と融合していますす。イギリスではケルトの多神教がキリスト教の中に隠れています。妖精の伝説やハロウィンのお祭りは、多神教の名残りです。

**松本**　一般的に、ローマ帝国が分裂した4世紀末から16世紀にかけてのルネサンス、および宗教改革の時代をヨーロッパの「中世」と呼ぶわけですが、中世において保守という概念を聞かないのは、その時代は保守が当たり前だったからということでしょうか？

**茂木**　いえ、イギリス史を振り返ってみると、まさに中世に保守思想が生まれています。

**松本**　中世のどのあたりに、保守主義の源流があるのでしょうか？

**茂木**　1215年の「マグナ・カルタ」、大憲章ですね。イギリス王ジョンに対して貴族と都市が認めさせた文書です。

ジョン王の一族はフランス語を喋っていました。イギリス王室はフランスのノルマンディーから来たからです。大陸のやり方をイギリスに押し付けようとしたジョン王に対して、伝統的な貴族たちが抵抗した。内容は「王は勝手に課税するな」「われわれ貴族や都市の特権を認めろ」ということです。

**松本**　「マグナ・カルタがイギリス議会の源流となった」とは習いますが、「マグナ・カルタが保守の源流だった」という講義は初めて聞きました。

**茂木**　もともとイギリスは合議制でした。それをフランスから来た王様がすべて決めようとしたので、伝統を守るために貴族たちは反抗したのです。

**松本**　マグナ・カルタで勝ち取った議会の権利というものを守っていかなくてはいけないという考え方が主に貴族を中心として受け継がれていった。

**茂木**　イギリスでの革命は、フランスの革命とは違います。絶対王政を倒し、立憲君主政を実現させたのですが、イギリスの伝統に戻そうとしたのですからむしろ「復古」なのです。

## 「revolution」の原点は「革命」ではなく「復古」

**松本**　イギリスで起こった1688年の「名誉革命」は〝無血革命〟と呼ばれました。しかし、その前の、1642年の「ピューリタン革命（清教徒革命）」では王様のチャールズ1世を処刑しています。王様を処刑してしまったということにおいて、「ピューリタン革命は過激だった」「指導者のクロムウェルは過激だった」という批判があります。

**茂木**　ピューリタン革命は、当初は「マグナ・カルタを取り戻せ」という穏やかな革命でした。ところが途中で、オリバー・クロムウェル率いる急進派が革命を乗っ取ったのです。

当時、大陸ではじまった宗教改革の波がイギリスにも押し寄せていました。ローマ教皇を否定することでは新教徒は同じ方向を向いていたのですが、イギリス国王が教会を支配すべきというイギリス国教会と、国王支配をも全否定するピューリタン（清教徒）に分裂したのです。

クロムウェルはピューリタンの狂信的な指導者で、国王の首をはねた上、イエス像やマリア像などを「偶像崇拝だ」と破壊し尽くしました。最終的にはクロムウェル自身が神の代理人としてイギリスを支配しようとし、政教一致の新たな独裁体制をつくってしまう。

こんなものはイギリスの伝統ではありません。それをもう1回倒して、もとの伝統的な議会政治に戻したというのがイギリスの名誉革命です。

「革命」と訳される「revolution」という言葉は、本来「回転」という意味です。ぐるっと回って元に戻る、すなわち「昔のアングロサクソンの伝統に戻る」ということです。

**松本**　なるほど、revolutionという言葉は、むしろ「復古」と捉えたほうがいいかもしれない。クロムウェルが過激すぎただけで、17世紀イギリスの革命は、基本的には「マグナ・カルタを守ろう」という路線に立つものだった。だからこそ、のちの「保守思想の父」と知られる英哲学者エドマンド・バークはイギリスの革命を良しとした、ということですね。

ですが「革命」というと、180度正反対のほうへ進むように習います……。

**茂木** 1789年のフランス革命のときにそうなってしまったのです。

**松本** 360度回って元に戻ってくるはずのrevolutionが、180度で止まってしまったのがフランス革命だった。

**茂木** 18世紀の終わりから19世紀にかけて、何々革命と名のつくものがフランスで数回あって、結局、王様がいなくなった。現在のフランス人に本音を聞いたら、「王様がいても良かったかも」と答えそうです。実は、フランス人も少し後悔しているのではないでしょうか？

**松本** だからのちにナポレオン帝政という「擬似君主政」を立てたのです。伝統は、いったん壊してしまうと大変なのです。「権威」というものは、いったん傷ついてしまうとなかなか元には戻りません。

**茂木** フランス人はなぜ、過激なのでしょう？

**茂木**　そもそもは、ローマ帝国が悪い。カエサル（シーザー）が、当時は「ガリア」と呼ばれたフランスを侵略します。ローマがフランスの伝統社会を壊してしまった。イギリスにも来ましたが、島国という地政学的な利点もあり、ローマの影響をあまり受けませんでした。

また、法律学ではよく「ローマ法」とイギリスの「コモン・ロー」が対比されて研究されます。ローマ法は歴代皇帝の勅令ですから、まさにローマ帝国がつくった法、上からの法です。それに対して、昔からのしきたりの集大成がイギリスのコモン・ロー、つまり慣習法です。フランスにおけるコモン・ロー的な伝統は、ローマの侵略によってなくなってしまった。だからフランスでは、法とは国家権力がつくるものになった。そこがイギリスとフランスの決定的な違いです。

## 大陸からの自立を明文化した「御成敗式目」

**松本**　哲学の分野において、「大陸哲学」と「英米哲学」という分け方をよくします。

単に分けておいたほうが便利だから、と思っていたのですが、実は海で隔てられているということに大きな意味がありました。

**茂木** マグナ・カルタ（1215）の少しあと、日本では1232年に「御成敗式目」ができました。御成敗式目というのは、「中国直輸入の律令は日本社会に合っていないから、われわれ武士団の慣習法を明文化しよう」ということでした。

**松本** 奈良時代から使ってきた律令は、確かに大陸からの輸入品でした。

**茂木** 要するに、律令というのはローマ法、押し付けられた法です。それに対して、日本のコモン・ローをまとめたのが御成敗式目でした。イギリスと日本は、本当に似ているのです。

御成敗式目には、例えば「女性の相続を認める」と書いてあります。唐の律令では、父が死ぬと財産は息子たちが相続し、妻の相続権は認めていません。面白いのは、日本で制定された養老律令では妻の相続権を認めています。朝廷も日本の慣習法にあわせて律令を微修正したのです。御成敗式目は逆に、日本の慣習法から成文法を編み出した。だから鎌倉時代には「女地頭（じとう）」もいたのです。

**松本** 承久の変のとき、頼朝の未亡人の「尼将軍」北条政子があれだけ頑張れたこと自体、当時の女性にものすごい権利があった証拠ですね。

**茂木** 鎌倉幕府を牛耳った北条氏の権力は、政子の存在なしに語れません。ムコ様の源氏は3代で断絶してしまいますから、実は誰でも良かった（笑）。

**松本** 鎌倉期を勉強していると、遺産は子供に行かずに、まず妻に行くということがわかります。特徴的なことだとは習いますが、それが日本的なものであって、実は大陸の法体系となじむものではなかったというのは初めて聞きました。日本史における女性の地位を再評価する時の一つの事例と言えるでしょうね。

PART 2

# 革命の時代に対抗する「保守主義」

## 民主主義を疑っていた、合衆国建国の父・ハミルトン

**松本**　18世紀後半以降、世界中で革命が相次ぎました。この革命という圧倒的な力に対して、保守主義はどういう抵抗をし、どういう流れを辿ったのでしょうか？

**茂木**　まず大きな流れとして、イギリスで保守主義が確立しました。そのイギリス人が大陸に渡って建てたのがアメリカ合衆国ですから、当然アメリカの指導者たちは保守主義の影響を受けています。

**松本**　アメリカは、基本的には保守的な国としての成り立ちを持っているということですね。

**茂木**　その通りです。ただしアメリカは、イギリス本国による課税に抵抗して立ち上がり、1776年に「独立宣言」をします。これはイギリス国王に対する「反逆」ですから、アメリカ合衆国においては「反王政」「人民の抵抗権」も新たな伝統となるのです。

**松本**　独立宣言を書いたのはトマス・ジェファソンですね。独立宣言の中には、「もし政府が我々人民の権利を侵す場合には打倒せよ」という革命条項が入っています。

**茂木**　その一方で、革命の暴走を警戒する側にはアレクサンダー・ハミルトンがいました。合衆国憲法をつくった人物です。アメリカには建国当初から、保守的なグループと革命的なグループとの亀裂があったようですね。

そもそもジェファソンは「アメリカに中央政府はいらない。13の州がバラバラでいい」という考えでした。それに対してハミルトンは「中央政府は必要だ」とした。そうしないとヨーロッパ列強、イギリスやフランスに対抗できないではないかとハミルトンは考えた。

さらに、ハミルトンは民主主義自体を疑っていました。「民主主義は間違えることもある。むしろ間違えることが非常に多い」と考えていた。そして、「民主主義の暴走を止めるにはどうすればいいか」を考察していきます。

**松本**　ハミルトンの問題設定は非常に近代的ですね。「民主主義の暴走を止めるためにはどうするべきか」と同時に、「民主主義そのものも、実は危ういのではないか」と……。

**茂木**　大統領を人民が選ぶのはいいが、間違えてしまう場合もある。そういうときにブレーキをかけようと、連邦議会と最高裁判所をつくり、いわゆる「三権分立」を取り入れたのが、ハミルトンです。

**松本**　このハミルトンは、なぜか学校の授業ではあまり習いませんね。

**茂木**　ハミルトンは世界史でも政治経済でも教科書に出てこない。教科書を書いている人がそういう立場、つまり保守思想を隠したい立場なのでしょう。

話を戻します。大統領の暴走を議会が止める、ということは実際に起こりました。例えば20世紀のはじめ、ウッドロウ・ウィルソン大統領が「アメリカは世界の警察である」として第一次世界大戦に突っ込んでいった。そして、「国際連盟による平和」というお花畑のような理想論を言い出したときに、ストップをかけたのが議会でした。

**松本** だから、アメリカは国際連盟に加盟しなかった。「国際連盟を言い出したのはウィルソン大統領なのに、なぜアメリカは加盟しなかったのか」と、不思議に思った人は多いはずです。

**茂木** 憲法上、そうなっているからです。議会上院の承認なしに、大統領は条約を結べない。そういう仕組みをつくったのがハミルトンです。そうしないと、大統領が暴走する。これが保守主義の一つの流れです。

## 「世界史」の教科書には、書かれていないことがある

**茂木** そして、保守主義のもうひとつの大きな流れが、先に話の出た18世紀イギリスの思想家エドマンド・バークです。バークは、アメリカ独立後に起きたフランス革命をイギリスからじっと見ていました。

バークがすごいのは、フランス革命が始まった段階で、「この革命は絶対に暴走する。そして大量殺戮が起こるだろう」と言ったことです。さらにその後、「この大混乱を収

めるために軍人が出てきて、軍事独裁になるだろう」と予見しました。これらのことが書かれている著作『フランス革命の省察』はフランス革命が起きた翌年、1790年に刊行されています。

**松本**　まだロベスピエールの恐怖政治は起こっておらず、ましてやナポレオンの登場など誰も予想していなかったときにバークはそれを予見した。

**茂木**　今のアメリカで起こっているような「政治的に正しいことは決まっていて、それ以外を排斥する」という、ポリティカル・コレクトネスのようなこともフランスで始まっていました。バークは、「非常に危険だ」と思ったのでしょう。

**松本**　そして、「次にはもっと危険なことが起こる」と考えた。私たちも、バークの予見をただ高評価するだけでなく、現在の世界情勢をバーク流に見て、未来を予見しなければならない。

**茂木**　そう思います。そしてまた、バークもハミルトンと同様に日本では世界史の教科書に出てこない。

**松本**　フランス革命についてては詳細に書かれていますが、そこに「イギリスに、フランス革命の恐怖政治およびナポレオンの登場を予想していた思想家がいた」と、一文だけでも教科書に付け加えられることはない。

**茂木**　入試に出ないので、受験生はバークやハミルトンのことを勉強しません。だから受験勉強を勝ち抜いてきた中央官庁の役人は、保守主義のことを何も知らない。

**松本**　歴史教育というのは、やはりものすごい影響力を持っていますね。

**茂木**　恐ろしいことです。偏った歴史教育は大問題です。

**松本**　教科書に「バークが素晴らしい」とまでは書かずとも、「バークのような思想家がいた」という事実は書くべきですね。

私が習った教科書には、「フランス革命は素晴らしい。自由と平等と博愛という、近代の礎をつくった」と書いてありました。

**茂木**　ええ、残念ながら今の教科書も基本的にはその路線で、何も変わっていません。進歩や革命は素晴らしい、保守は時代遅れ、というものの見方です。教科書に出てくる「保守」は、革命を妨害した「保守反動勢力」というレッテル張りの用語でしかありません。

この流れに抵抗する意味で、『「保守」って何？』（祥伝社）という本も僕は書かせていただきました。「保守主義」をより詳しく学びたい方におすすめします。

**松本**　フランス革命の後に恐怖政治が来て、その後のナポレオン独裁を準備し、その反動としてウィーン体制の反動があった、と見なければフランス革命の本当の姿は見えてこないでしょうね。

PART 3

# 日本の「保守主義」その壱

## 「復古」がないと、独立を保てない

**松本**　ここまでの講義で、歴史や地政学的に見て、イギリスと日本が非常に似ているということがわかりました。イギリスと同じく島国である日本の保守主義の源流についてはどこから遡ればいいのか、お聞かせいただければと思います。

**茂木**　前述したように、まず律令国家体制に対して、武士の慣習法をまとめた御成敗式目が1232年に施行されます。武家政権の法律で、江戸時代まで続きました。そして、

1853年のペリー来航で維新を迎えますが、この大動乱の中で「これから日本はどこへ進むのか」ということを幕末の日本人は真剣に考えました。

古今東西、強烈な外圧を受けた民族は、二つの方向に進みます。一つは、外圧を受け入れて侵略国をモデルとする、という動き。日本では唐の脅威を受けた飛鳥時代に律令制を受け入れ、西欧の脅威を受けた幕末維新期には西欧化政策、いわゆる鹿鳴館政策を取りました。

もう一つはその真逆で、外圧に負けないために民族の原点を探ろうという動き、つまり「復古」です。幕末日本の尊王攘夷運動は、まさに復古でした。『古事記』や『日本書紀』を再評価します。「日本は万世一系の天皇が統治し、独立を維持してきた世界でも稀な立派な国だ」という教えになってきます。

明治の思想は、極端な「欧化主義」と極端な「復古主義」が絡み合って始まったのです。

**松本**　欧化主義と、『古事記』や『日本書紀』に基づく復古主義の考え方があって、どちらか一方が勝ったわけではなく、あるときは近代化に振れ、あるときは復古に振れる。幕末には「水戸学」が流行りました。

**茂木**　水戸学は「復古」の最も過激な部分ですね。水戸藩の名君、徳川光圀が編纂を命じた『大日本史』の編纂チームを中心に、「日本とは何か？」を極めようとした人たちでした。ところが幕末の外圧の中で過激化し、ペリー艦隊に屈して開国に踏み切った大老・井伊直弼を桜田門外で斬ったのも水戸藩士でした。

**松本**　水戸学を先鋭化させた天狗党は悲惨な末路を辿りました。なので、そのあとの尊王攘夷も反動的な幕藩体制にしがみつく哀れな者たちであり、結局は未来を見据えた薩長が勝った――。一般的な維新のイメージはこうですが、そうではなく復古の流れはずっとあった。

**茂木**　「復古」とは、端的に言えばナショナリズムです。これがないと、独立を維持できません。欧化主義だけでは、日本という国はどこかへ消し飛んでしまう。アジア・アフリカの植民地における独立運動の根幹にあったものも、このナショナリズムでした。

**松本**　幕末の尊王攘夷運動がなかったら、日本が精神的に欧米に太刀打ちできなかったかもしれない。「遅れていた」と思われがちな尊王攘夷も、実は日本が独立を保てたという面において再評価する必要がありそうです。

## 「大日本帝国憲法」のバランス感覚

**茂木**　「西洋化」と「復古」とのバランスをうまく保とうとしたのが、大日本帝国憲法でした（1889公布）。帝国憲法は、伊藤博文がドイツに留学して、ドイツおよびオーストリアの憲法を学んできてつくったという欧化主義の憲法でした。そこに『古事記』や『日本書紀』以来の日本の伝統的な「国体」を、伊藤博文の右腕だった井上毅（こわし）がうまく取り込んだ。国体とは「国家体制」という意味で、「伝統的な国の枠組み」ということです。

井上毅は『古事記』や『日本書紀』を研究して、帝国憲法の冒頭に「大日本帝国は天皇が治（しら）す」と書いた。「しらす」とは「知る」という言葉の類義語で、「天皇が民のことをよく知る、民の気持ちをよく知ることで、国がまとまる」という日本古来の考え方です。これに対して、豪族の強権による統治を「うしはく」と呼んで区別しました。つまり天皇は古代から象徴的、宗教的な統治者であり、実力による統治者ではなかったのです。

ところが、伊藤博文が「『しらす』という言葉は外国語訳できない。この憲法は国際基準でなくてはならない。だから、ここは『統治する』と書くべきだ」と修正の提案をした。そして、帝国憲法の第一条が「大日本帝国ハ万世一系ノ天皇之ヲ統治ス」となった。ここに、昭和になって「天皇が絶対権力を持っている」という、間違った憲法解釈をする余地が残ってしまったのです。

**松本** 井上毅が「しらす」と言ったのは、深謀遠慮があったとも言えそうです。

**茂木** その通りです。だから伊藤博文も誤解されないように、帝国憲法の解説本『憲法義解』を書きました。そこには、「統治する」とは「しらす」の意味である、と書いてあります。

**松本** そう考えてみると、帝国憲法はよくできていますね。

**茂木** 欧米型の憲法でありながら、日本の伝統を上手に生かしています。

## 「社会契約論」と「国家有機体説」

**松本**　日本の場合、守るべき伝統や価値観とは何か。日本の保守主義は、やはり「皇室」を基盤とするべきでしょうか？

**茂木**　君主と人民とを分ける考え方を「社会契約論」といいます。「人民はもともとバラバラに存在しており、お互いが自分の財産・権利を守るために主張して絶えず闘争している」と考えるのが基本です。そのままでは無政府状態になってしまうので、代表を選んだ。その代表が君主である、という考え方です。17世紀イギリスのトマス・ホッブズやジョン・ロック、そしてルソーが唱えた説です。

教科書では社会契約論しか教えませんが、それに対して「国家有機体説」というものがあります。「君主と人民は、初めから存在するとする」という考え方です。人間の集団には、初めからリーダーがいて、人民がいる。人民が君主を選んだわけではない、と考える。

日本で言えば、天皇は日本というまとまりができたときから存在し、民が選んだわけではない。さらに言えば、国家を構成する人々にはそれぞれに役割があり、天皇をする人、農業をする人、大工をする人、子を育てる人など、ただ単に分担しているだけである。

このように、国家をひとつの生物であるかのようにみなし、その成員である個人は全体の機能を分担するものであるとする考え方を国家有機体説といいます。この国家有機体説に従って、国体を守るのが日本の保守主義だと思います。

**松本** 国家有機体説は、大正時代の「天皇機関説」（主権は国家にあって天皇にはなく、天皇は国家を代表する最高の機関にすぎないとした学説）と似ていますが、いかがでしょうか？

**茂木** フランス革命への反発から、国家有機体説は19世紀のドイツで確立し、日本の法体系に入ってきた。帝国憲法は国家有機体説に則っています。

**松本** フランス革命に対抗して、国家有機体説というのがあった。それを19世紀後半の日本はお手本とした。20世紀前半に天皇機関説が日本で議論となったのも、起こるべくして起きた、ということになります。

**茂木**　日本の伝統的な思想では、前述したように天皇は「しらす」なのです。天皇は一方的に民に命令するのではなく、民のことをよく知り、共に国を守っていく、というお立場です。

**松本**　そうすると、保守層の一部が天皇機関説を批判したというのは非常に奇妙な話ですね。

**茂木**　天皇主権説が、「君主と人民を分けて考える」という非常に社会契約論的な考えだったからです。

**松本**　当時、天皇主権説を唱えていた憲法学者の上杉慎吉は、実は西洋かぶれだった、ということでしょうか？

**茂木**　その通りです。上杉慎吉は天皇崇拝と口では言ってはいましたが、思考パターンは完全に西洋型です。彼は保守ではありません。上杉は、ヨーロッパ的な社会契論に基づき、その上で君主権の絶対ということを主張しました。要するに、トマス・ホッブズの思想です。

**松本**　天皇主権説は、ホッブズの焼き直しだった。

**茂木**　もともと天皇に「主権」はありません。誤解のないように言っておきますが、ここでの主権とは「絶対権力」という意味です。この西洋直輸入の「君主主権論」を振りかざし、天皇が絶対君主であるかのように帝国憲法を曲解し、その天皇を「ただの機関」とは不敬である、と叫んで正統派の憲法学者である美濃部達吉教授を非国民呼ばわりした1930年代の国家主義者たちは、日本の国体をまったく理解せず、二・二六事件で憲法を停止して天皇親政国家を実現し、日本を全体主義の方向に持っていこうとしました。彼らは「革命家」であって、保守主義でもなんでもありません。

そして敗戦後は、逆に左翼がこれを逆手に取り、「天皇制と帝国憲法が日本ファシズムを産んだのだ」という暴論を広めました。戦前の右翼も敗戦後の左翼も根っこは同じ全体主義者で、日本の歴史と国体に対する恐るべき無知がその基盤となっていると僕は考えます。

PART 4

# 日本の「保守主義」その弐

## 自民党は「保守政党」ではなく「反共政党」

**松本**　PART4では、戦後日本の保守主義について考えていきたいと思います。まず、自由民主党は保守政党でしょうか？

**茂木**　自民党は、反共（反共産主義）政党です。もちろん党内には保守的な議員もいますが、かつてそれが多数派になったことはないと思います。敗戦直後は、GHQが検閲と公職追放を行いましたから、そもそも保守的な言論というのはできませんでした。

日本の独立を回復するためには、アメリカのご機嫌をとらなければならない。米ソ冷戦という状況もあり、「アメリカに従うしかない」ということになった。つまり、「私は反共です」と言っておけば、一応、保守の政治家と見られた。しかし自民党の政治家で、日本の本当の国体をわかっている人はほとんどいないでしょう。

誤解を避けるため強調しておきますが、日本の「国体」とは天皇絶対主義ではありません。「天皇と民が共に国を治める、君民一体」ということです。

**松本** つまり、自民党政治というのは結局「政局」、権力闘争をやっていただけで、保守主義という思想背景はなかった、ということでしょうか。

**茂木** その通りです。自民党の歴史は、ただの派閥抗争です。何も思想が出てこない。

**松本** それでは、日本にとって理想的な保守政党とは何でしょう。真の保守政党をつくるためには何が必要でしょうか?

**茂木** 2020年に書いた、『政治思想マトリックス』(PHP研究所)という本があります。その中で、政治思想のマトリックスをつくりました(※左図)。縦軸の上が「グローバリズム」で、下が「ナショナリズム」、横軸の左が「平等(統制と分配)」で、右が「自由競争」という図表です。日本の保守政党は、「右下」を目指すべきだと思います。

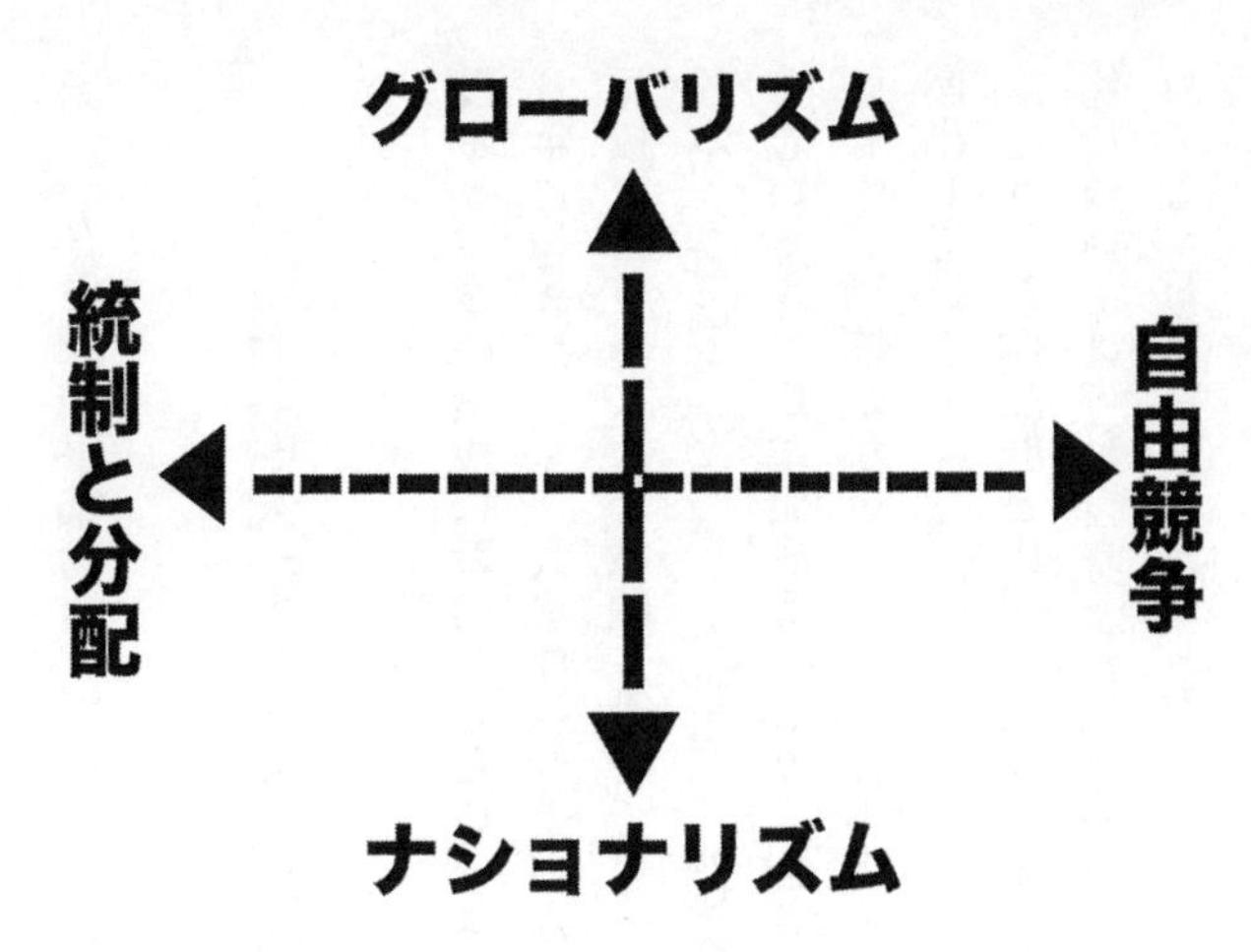


**松本**　「自由競争」＋「ナショナリズム」ですね。

**茂木**　自民党だけでなく戦後日本の保守層は、はっきり言わせていただけば「ただの反共」でした。「ソ連・中国・北朝鮮の悪口を言っていれば、保守」という人たちがたくさんいた。現在の保守言論界にも、グローバリズムをまったく批判しない人もいます。

**松本**　いま必要なのは、本当の意味でのナショナリズムを考えることと、グローバリズムの脅威にどう対抗するかを考えること、ですね。

**茂木**　そのためには、日本の伝統に立ち返った教育というものが必要になってきます。日本の保守主義を勉強したい方は、まず『古事記』『万葉集』『平家物語』『太平記』を読むことからはじめてください。

## 三島由紀夫をどう考えるか

**茂木**　本章の最後にお話ししたいのは、三島由紀夫の評価です。三島由紀夫は、1936年に起きた二・二六事件を非常に高く評価していて、『憂國』という二・二六の青年将校をモデルにした戯曲も書いています。

**松本**　『憂國』の完結した世界、完成度というのは戦後の日本の文学では屹立（きつりつ）していると思います。川端康成などよりも強さがあります。美しいだけではダメで、何か恐ろしいもの、恐怖がないと「美」は本当の力を持ち得ないという点で言えば、三島の作品が傑出しています。

そうした作品群と作家・三島由紀夫が最後に見せた1970年の市ヶ谷での自決の関係については、私自身まだ結論が出ていません。よく聞くのは、「三島由紀夫が命を懸けても、日本は何も変わらなかった」という意見です。結局は、三島の自己満足だった、と。

**茂木**　当時の三島由紀夫の、戦後日本に対するどうしようもない絶望と怒りには共感できます。「このまま行ったら日本はなくなって、その代わりに、無機的な、からっぽな、ニュートラルな、中間色の、富裕な、抜け目がない、或る経済大国が極東の一角に残るのであろう」と三島は警告しましたが、この感覚はとてもよくわかります。

その一方で、三島由紀夫がモデルとした二・二六事件とは何だったのか。二・二六は「天皇絶対主義」を目指したものです。二・二六を計画した北一輝は天皇を絶対君主として、そのもとで独裁権力による社会主義を目指しました。これは日本の国体とはまったく違います。日本には、専制君主はいらない。三島は根本的なところで、日本の国体がわかっていなかったのではないでしょうか。

**松本**　戦後日本に絶望する気持ちは共感できても、二・二六事件を称賛する三島由紀夫には賛同できない、ということですね。

**茂木**　二・二六で昭和天皇がとった行動を見ればわかります。暴力で国体を変更して朕をまつりあげるようなことはけしからん、と激怒された。自ら近衛師団を率いて鎮圧する、とまでおっしゃった。昭和天皇は、日本の国体をよくわかっていらっしゃいました。

# 五限目

# 〝リバタリアニズム〟と〝武士道〟

# 「リバタリアニズム」と「アナーキズム」の類似性

## マルクスの天敵だった、ロシアの思想家バクーニン

**松本**　五限目のテーマは「リバタリアニズムと武士道」です。本講義でも何度か触れましたが、「リバタリアニズム」(libertarianism)とは、個人的自由と経済的自由の双方を最大限に重視する思想です。経済的な自由のみを重視する新自由主義と似ていますが、リバタリアニズムでは個人的、政治的自由をも重んじます。

しかし、リバタリアニズムを突き詰めると、アナーキズム(無政府主義、無政府状態)

に行き着くという批判もあります。前述したように、もともとリバタリアニズムが無政府主義からの亜流ですので当然と言えば当然ですが。

**茂木**　アナーキズムといえばロシアですね。なぜなら、帝政ロシアの凄まじい権力にいかに抗うかということがロシアのインテリゲンツィア（知識人）にとって大きなテーマだったからです。多くの人たちがアナーキズムに憧れていった。近代アナーキズムはフランスで始まるのですが、花開いたのはロシアです。

**松本**　「アナーキズムの父」と呼ばれるピエール・プルードンはフランス人でした。彼は、「財産とは窃盗である」という過激なことを主張しました。

**茂木**　プルードンはフランス革命思想の継承者です。フランス革命のときの過激派であるジャコバン派をさらに先鋭化した人物です。

**松本**　ジャコバンの末裔（まつえい）がプルードンだということになると、興味深い思想とはいえ身構えてしまいますね。その後、マルクスと対立したミハイル・バクーニンが出てきます。

**茂木**　これについても何回かお話ししましたが、ロシアの思想家であるバクーニンは、マルクスにとって一番の敵対者でした。バクーニンも社会主義者でしたが、マルクス的な社会主義、つまり共産主義は、強権的な労働者政権が経済をコントロールするので独裁が不可避となり、危険である、という立場でした。マルキスト（共産主義者）の側から見れば、バクーニンは「裏切り者」であり、「危険思想」の持ち主となります。

**松本**　マルクスは口を極めてバクーニンの悪口を言っています。

**茂木**　お互いに凄まじい泥仕合をしていますね。そういう意味では、後のレーニンに繫がっていく恐るべき集権体制に対するアンチテーゼとして、バクーニンは非常に重要な思想家だと思います。

**松本**　「マルクス」→「レーニン」→「スターリン」→「毛沢東」という流れを見る場合、それに対抗したバクーニンの意義は大きい。なぜなら、20世紀に発生した「社会主義」を名乗る共産主義国家が、結局は全体主義に陥ってしまったからです。

## 「ロシア革命」で〝革命〟が葬られた？

**松本**　日本では、もう少し時代が下った段階で、大杉栄（さかえ）がピョートル・クロポトキンに影響を受けアナーキストの代表的な存在になります。「クロポトキン研究」というと森戸辰男が有名ですが、実は大杉栄がクロポトキンをいろいろ翻訳しています。アナーキズムの流れはクロポトキンから大杉栄を通じて日本に輸入されたと私は考えています。

**茂木** クロポトキンもロシアの思想家で、やはり反マルクスです。バクーニンの流れですね。簡単に言うと、中央集権的な国家がなくてもコミュニティ、つまりお互いの助け合いで社会主義は実現できる、という考え方です。

**松本** 確かに大杉栄の思想は、「無政府主義」＝「国家否定」ではありますが、「共同体否定」＝「社会否定」＝「無秩序」という単純なものではありません。

**茂木** それは、フランスとロシアの違いでしょう。フランスは当時、近代社会の生成と産業革命を経て、完全に個人がバラバラになっていました。ところがロシアは、いまだ産業革命も道半ばという状況でした。「ミール」と呼ばれる農村共同体が強烈に残っていました。バクーニンもクロポトキンも、中世から続く農村共同体を基盤にした社会主義を目指したのです。

バクーニンは、ロシア史上有名な17世紀後半のステンカラージン、18世紀後半のプガチョフという農民一揆（いっき）の首領たちを高く評価していました。だから将来のロシアの革命は、「ムラ社会」、ロシア語で「ミール」といいますが、これを基盤とした「農民一揆」であるべきと考えました。

**松本**　ロシアの当時の状況を考えれば、「ムラ」というものを無視しては革命を起こせない、とバクーニンやクロポトキンは考えた。彼らが「共同体」の概念を自分の思想に取り入れているのには、そういう下地があったということですね。

**茂木**　レーニンのロシア革命が成就したとき、クロポトキンは「これで革命が葬られた」と批判しました。

**松本**　レーニンやスターリン的なムラを無視した社会主義は、ロシアの風土にはなじみにくかった。一方、バクーニンやクロポトキンはロシアの風土を見据えた社会主義を考えていた。

**茂木**　十月革命の時、レーニンの最大の敵対勢力に「社会革命党（SR／エス・エル）」がありました。社会革命党はまさにバクーニンやクロポトキン的な思想、アナーキズムで革命をやろうとしたのですが、レーニンはこれを徹底的に潰しました。ロシア革命については、きちんと学ぶ必要があると思います。

**松本**　その社会革命党は19世紀の終わりぐらいから「ナロード（農民／人民）の中へ」

というスローガンを掲げていました。農村に入って「社会主義とは何か」を教える活動を行っていたようです。

これは思考実験になってしまいますが、もし社会革命党が主導するような形でロシア革命が行われていたら、その後の社会主義、またはロシアというのは違う雰囲気になっていたかもしれません。

**茂木** ロシア民衆にとっては、より生きやすい社会になったと思います。その反面、おそらくロシア帝国は崩壊していたでしょう。地方分権化して、バラバラになってしまったはずです。

**松本** そうすると、ドイツとの戦争も敗北したかもしれません。物事は良し悪しで、後の独ソ戦にソ連が耐え得て最終的に勝利できたのも、スターリンの強権支配があったからだと言うこともできます。

**茂木** バラバラの弱小ロシアでは、欧米列強の草刈り場になっていた可能性が大ですね。

**松本** ソ連が曲がりなりにも20世紀を通じて大国でありえた、しかも20世紀後半にはアメリカと覇を競い合うまでになっていた、というのはスターリンの手柄だったと言えなくもない、ということになります。

**茂木**　ウクライナ戦争の最中ですが、プーチンが同じことをいっていますね。ウクライナの背後にいる西側諸国の最終目標はロシアの解体である。われわれは団結しなければならないのだ、と。これは何度も何度も侵略を受けてきたロシア人の本音だと思います。

PART 2

# アメリカ社会と「リバタリアニズム」

## 「リバタリアン党」と「共和党」の関係性

**松本**　PART2では、現在「リバタリアニズム」が拡大しているアメリカに目を向けてみましょう。アメリカのリバタリアンから、「我らの始祖」「思想上の始祖」などと崇(あが)められている人物に、アイン・ランド（1905〜82）がいます。彼女は裕福なユダヤ系ロシア人の家に生まれ、革命後のロシアを嫌ってアメリカへ亡命しました。ハリウッドの映画脚本家を経て小説家、ノンフィクション作家として活動し、小説『肩をすくめるアトラス』（１９５７）が代表作とされています。

しかし、実はランドはアメリカ人リバタリアンのことが大嫌いでした。「リバタリアンというのはマリファナをやりすぎて、頭がボケたやつらだ」などとインタビューで堂々と発言していました。彼女は常々、「何をしてもいい自由なんかない」「やっていいことと悪いことがある」と言っていたのです。

茂木先生はアメリカのリバタリアンというと、どんなことをイメージされますか？

**茂木**　１９７０年後半に放映された『大草原の小さな家』ですね。ローラ・インガルスという少女を主人公に、西部開拓時代の家族を描いたアメリカのテレビドラマでした。子供の頃、夢中になって観ていました。

**松本**　ローラ・インガルス・ワイルダーの自伝が原作ですが、彼女の娘であるローズ・ワイルダー・レーンはとても有名なジャーナリストで、リバタリアン的な思想家でした。養子にとって思想教育したロジャー・リー・マクブライドは１９７６年にリバタリアン党の大統領候補になったこともあります。

**茂木**　ローズ・ワイルダー・レーンは１９３０年代の世界恐慌期に活躍した人です。フランクリン・ルーズベルト大統領がニューディール政策で「大きな政府で、国が経済を管理する」ようになったとき、ローズは猛然と反対しました。「アメリカがどんどん社会主義に向かっている」と思ったのです。

**松本**　フランクリン・ルーズベルトは、社会主義者のようでした。実際、彼のまわりには社会主義者・共産主義者がいた。民主党政権は、そういう人たちを抱え込んでいたのです。それに警戒する動きが徐々に芽生え、第二次大戦後の1960年代を経て、70年代にリバタリアンが世に出てきます。1976年には、ローズの養子ロジャーがリバタリアン党の大統領候補となりました。

**茂木**　リバタリアン党が注目されたのは、ウォーターゲート事件（1974）でリチャード・ニクソン大統領が辞任し、共和党の名声が地に落ちた頃のことです。「共和党はダメだが民主党も嫌」という保守層の期待に応えたからでしょう。

**松本**　「大きな政府」に反対する点で、リバタリアン党は共和党と結びつきやすいですね。

**茂木**　方向性は似ています。そのため結果的に、リバタリアン党は共和党の足を引っ張ります。保守票が割れてしまうからです。トランプとバイデンが争った先の大統領選のときにもリバタリアン党は候補者を出したので、トランプ票を食いました。

**松本**　リバタリアン党が何を考えているのか、聞いてみたいところですね。

**茂木**　リバタリアンとして有名な共和党の政治家としてロン・ポール、ランド・ポールという親子がいます。息子ランドは２０１６年の大統領選の共和党指名争いにも出馬表明しました。今後のアメリカにおけるリバタリアニズム政策の推進者として注目です。

## リバタリアニズムと保守主義の相違点

**松本**　次に、リバタリアニズムと保守主義についてお話ししていきたいと思います。

**茂木**　まず、共通点は「全体主義に反対する」というところですね。国家権力が個人を蹂躙することに断固反対し、抵抗する。「抵抗する主体は何か」というときに、「私個人」とするのがリバタリアニズムで、「共同体」とするのが保守主義です。

ロシアのように中世から強固な農村共同体がある場合には、その農村共同体が頑張って帝政ロシアに対抗する、となります。アメリカのように歴史の浅い国は、そもそも共同体がなかったので個人が頑張る、しかない。アメリカでリバタリアニズムが流行るのは当然かもしれません。

**松本**　アメリカの風土というのが、個人主義的なリバタリアンを助長するのに一役買った。「個人、もしくは家族単位で生き抜く」ということですね。

**茂木**　基本的にはそうですが、アメリカでは一共同体として「教会」を中心にみんながまとまる、ということもあります。

**松本**　「全体主義に反対する」という意味においては、リバタリアニズムと保守主義は手を組める。ですが、リバタリアニズムは個人に重きを置くので、保守主義者が大切にしている共同体を軽く見る傾向があります。

**茂木**　その通りです。リバタリアンの多くは、共同体の破壊を支持します。「アナルコ・キャピタリズム」（無政府自由主義）という、自由市場の自治を重視し、国家の廃止を提唱する思想もリバタリアンから出てきました。

リバタリアンから見ると、保守主義は「共同体にしがみつき、個人の自由を抑圧する古臭い思想」となる。だから「伝統的な共同体を軽視する」という意味では、リバタリアニズムと全体主義というのは通じるところもあります。

PART 3

# 日本の「武士道」という思想

## 平安時代はリバタリアニズムの時代だった!?

**松本**　PART3では日本における「リバタリアニズム」について考えていきたいと思います。まず、日本の思想として有名な「武士道」は、リバタリアニズムといえるでしょうか?

**茂木**　武士道とは何か。普通ならここで『葉隠(はがくれ)』や、新渡戸稲造(にとべいなぞう)の『武士道』を取り上げると思います。これらは非常に完成された「美学」としての武士道です。しかし、このような考え方ができたのは江戸時代の半ば以降ではないでしょうか。ここで議論したい武士道は、もっと広い意味で「武士としての生き方、思想」です。

まず、「武士はいつ生まれたのか」ということを考えなければなりません。「武士」という言葉が出てくるのは、平将門あたりからです。10世紀、平安時代中期です。当時の日本の状況はめちゃくちゃで、無政府状態でした。

律令国家体制というまったく日本の風土に合わない法体系を中国から直輸入した結果、法律は施行できず、権力は私物化され、グズグズになっていました。官僚たちは私利私欲に走る。都から派遣されてくる地方長官・国司は、「任期中にいかに現地から搾り取るか」ということしか考えない。現地の住民からすると、国家権力はただ搾取するだけの存在です。

それに対していかに抵抗するか、自分の生活・自分の開墾した土地をいかに守るか、ということで民衆は武器をとった。それが武士団の始まりです。

**松本** 「国家権力は頼りにならない、むしろ敵だ」ということにおいては、非常にリバタリアン的ですね。

**茂木** 平将門は、国司の無法に対して挙兵し、坂東（関東地方）の独立を掲げるまでに至りました。京都から見れば「朝敵」であり、彼の首は七条河原でさらされましたが、その首が舞い上がって関東まで飛び、落ちたという場所が東京駅近くの丸の内で、いまも「首塚」が祀（まつ）られています。将門の魂を祀っているのが神田明神で、東京の守り神です。リバタリアン将門はいまも関東のヒーローなのです。

**松本**　実は平将門の時代こそ、日本はリバタリアニズムだった——。

## かつての日本人は強かった！

**松本**　鎌倉期時代の歴史書『吾妻鏡（あづまかがみ）』の「野武士」こそが、武士の本来の姿ではないか、と私は思っています。そこには卑怯な手も使う武士が登場してきます。それがいつのまにか、「武士たるもの、弱きを助け、強きを挫（くじ）く」に変わっていった。かつての武士は、どんな手段を使ってでも戦に勝つ、という「強靭（きょうじん）さ」があったのではないでしょうか？

**茂木**　その通りです。日本人の特徴として盛んに言われる「人の目を気にする」「自己主張をしない」というのは、おそらく江戸期に形成された国民性であり、それ以前は違っていたと思います。江戸時代になるまでの武士は、強烈な自己主張があり、個人の名誉を重んじ、すぐに刀を抜く。それは、農民などの一般庶民も同様でした。「刀狩」(1588)以前は、農民たちも刀を持っていました。現在のアメリカ国民が、銃を持っているのと同じことです。

**松本** 織田信長も上杉謙信も徳川家康も農民一揆に手を焼いた、というのは農民が強かったからですね。

**茂木** 当時、日本にやってきた西洋の宣教師が異口同音に、「日本人ほどケンカっ早い民族はいない」と書いています。

**松本** 農民は弱くて刀を持っている武士になすがままであり、一揆のときには破れかぶれで鍬や鎌を持って立ち上がる、というイメージがありますが、まったく違いますね。

そろそろ、従来の日本人観を改める必要があるでしょう。「人の目を気にする」「自己主張をしない」といった特徴は、太古から島国の中に押し込められた日本人のDNAでは決してなく、泰平が続いた江戸時代からそのような特徴になっていった。それ以前の日本人は、武士も農民も気合いが入っていた。そもそもの日本人は、権利意識の低い弱き民で「お上の言うことは間違いない」と諾々と従う——という民族ではない。

**茂木**　歴史学者の清水克行教授が『喧嘩両成敗の誕生』（講談社）という本を出版されています。この本は、室町時代の人々の意識にまで踏み込んだ傑作です。

室町時代は、実は戦国時代よりカオスでした。戦国時代は、戦国大名が「分国法」などをつくっていて、それなりに法の秩序があった。室町時代は、室町幕府の統治能力そのものが弱かったので、まさにアナーキー、無政府状態だったのです。

**松本**　室町時代は、関東公方などの役人が、やりたい放題をやっていました。

**茂木**　そのカオスの中で、室町時代には自然に出てきた社会的なルール、コモン・ローがありました。それが仇討ちであり、喧嘩両成敗であり、落武者狩りであり……。これらは、公式な法ではありません。むしろ、成文法では禁止されている。しかし、実際には仇討ちなどが社会的なルールとして通用していたことは史料から明らかです。

**松本**　その仇討ちにも、ある種の作法があったということですね。

**茂木**　仇討ちは、1702年の赤穂事件、いわゆる「忠臣蔵」が最後です。侮辱された主君の仕返しとして、赤穂藩の浪人たち、四十七士が吉良上野介を斬る。当時は「立派に仇をとった」「温情なご裁決を」という世論が主流でしたが、徳川綱吉の幕府は「仇討ちはけしからん」と言って四十七士に切腹を命じます。ここが日本史の大きな転換期でした。「自力救済は許さない。お上に従え」と国家権力が全面に出てきたのです。

**松本**　リバタリアニズムについて書かれている本を読むと、「決闘」の話がよく出てきます。「決闘をするときの手順はどうすべきか」といったことが検証されるのです。とても違和感がありましたが、仇討ちや喧嘩両成敗がルール化されていった室町時代がリバタリアニズムの世界だったと見直すと腑(ふ)に落ちます。

**茂木**　敵討ちをしてしまうと、負の連鎖が永遠に続いてしまいます。そこにブレーキをかけたのが、喧嘩両成敗です。

**松本**　自力救済である仇討ちはリバタリアニズムそのものでしたが、「これからは幕府がきちんと裁くから、自分らで解決するのをやめなさい」ということの象徴的な事件が忠臣蔵だった、ということですね。

**茂木**　1999年に光市母子殺害事件がありました。未成年の少年が性犯罪目的で民家に押し入り、乳児とその母親を殺害した。被害者である乳児の父親は「もし犯人が公権力によって裁かれないのであれば、すぐに釈放してくれ。私の手で妻と子の仇(かたき)をとる」とおっしゃった。まさに仇討ちです。

当時、彼の悲痛な叫びを聞いて多くの人が涙を流したと思います。そういう心持ち、公権力がきちんと裁かない場合は仇討ちすべきだ、という思想はいまでもみんな持っています。ですが、それは忠臣蔵事件で禁止されたのです。世界中で賞賛される日本社会の治安の良さは、このときにはじまりました。その反面、日本人は何かを失ったのかもしれません。

PART 4

# 映画『七人の侍』にみる「保守主義」の精神

## リバタリアニズムと保守主義との葛藤

**松本**　「リバタリアニズムは日本の風土になじまない」と言われることがありますが、実はそうでもないというお話をしてきました。そうすると、リバタリアニズムと保守主義との連携が課題となってきます。

**茂木**　リバタリアニズムと保守主義との葛藤は、黒澤明監督の傑作映画『七人の侍』（1954公開）にも出ています。大事なことなので、ちょっとお話しさせてください。

時は、戦国時代。野武士の略奪に悩まされる農民たちが、さまざまな策を弄して7人の侍を傭兵として雇い入れ、協力して野武士の襲撃から村を守るという物語です。

7人の侍たちは村の農民を「バラバラにいてはダメだ、1ヶ所に集まって戦え」と軍事訓練します。ところが、最初に「侍を雇おう」と提案した「じさま」というおじいさんが村外れの水車小屋に住んでいて、そこを動こうとしません。

「じさま、あんたの家は村外れで守れないから、そこは捨てろ。村の中心に移ってこい」と言っても、じさまは「この水車小屋は、ワシのもんじゃ。ここを守るんじゃ」と従わない。結局、野武士に襲われてじさまは死んでしまいます。このじさまの行動が、まさにリバタリアニズムです。

**松本**　『七人の侍』の、あの「じさま」がリバタリアンだった——。

**茂木**　それに対して、「村人一丸となって乗り切ろう」とするのが保守主義です。この、リバタリアニズムと保守主義との葛藤は永遠のテーマかもしれません。本当に強い個人であれば、リバタリアンとして生きていけますが……。

**松本**　そうでない場合は、まとまったほうがいい。じさまも最後は殺されてしまった、ということですね。

**茂木**　７人の侍の中に、三船敏郎演じる菊千代という風変わりな侍がいました。途中からわかってくるのですが、菊千代は農民出身だったのです。野武士に襲われ、一家惨殺、赤ん坊だった菊千代が生き残って……という話でした。だから菊千代は、侍と農民の二つの立場がわかる。個人の力で生き抜く侍の論理も理解でき、集団の力で守る農民の論理も理解できたのです。

## 「略奪」にも法がある

**茂木**　『七人の侍』の中で、いざ戦うという際に、７人の侍のひとりが農民に対し「お前らが持っている武器を出せ」というシーンがあります。鍬や鎌でもと思っていたら、ものすごい刀や槍（やり）や鎧（よろい）がたくさん出てきて「なんじゃこれは」となる。要するに農民は、「落ち武者狩り」をやっていたのです。

当時から、落ち武者狩りはかなり広範に行われていました。決して「侍は農民より強い」というわけではない。侍は、戦で負けたら「農民に狩られる」という立場です。

**松本**　「本能寺の変」の明智光秀の最後は、雑兵あるいは農民に仕留められた、ということになっています。一見、「情けない」と思いますが、農民という存在は当時ものすごい脅威だった。だから、徳川家康も必死の思いで伊賀越えをした。農民には大量の武器があったのですね。

**茂木**　大名Aと大名Bが戦って、大名Bが負けた、とします。すると、勝ったほうの大名Aが「落ち武者狩りをやれ」と農民たちを大名B側にけしかけるのです。弱き農民は戦があると逃げ回っていた、というような歴史観は大間違いです。

**松本**　武田信玄の逸話の中にも、「乱妨取り（乱取り）」というものが整然と行われています。乱取りとは、戦の後で兵士が人や物を掠奪する行為のことです。これは、「許可された略奪」「ルールに則った資産没収」として常識でした。

**茂木**　世界史上よくある話です。例えばイスラム世界では、「勝ったほうが負けたほうの都市に対して、3日間の略奪を許す」というものがあります。「3日間は何をしてもいいが、4日目以降はダメ」という許可制の略奪です。

**松本**　まったくの無秩序ではなく、時間を制限した無秩序、という感じですね。ソ連も第二次大戦後、ドイツや満洲で無茶苦茶な行為をしましたが、誤解を恐れずに言えば、あれは戦後処理の一環だった、とも言えますね。

**茂木**　モンゴル帝国以来のユーラシア大陸の伝統をロシアは、受け継いでいるのでしょう。

**松本**　日本は対日参戦でやられた側ですから、「ロシアの国民性は野蛮だ」と思いますが、世界史そして日本史を見てもそういう側面がある。戦いが終わったあとの時間限定での無秩序状態というのは、むしろ勝った側の指導者によって奨励されていた。

**茂木**　公権力が時間などの条件付きでカオスを認める、ということです。例えば「流刑」という刑罰がありました。いわゆる島流しですが、流刑された罪人の多くは途中で死んでいます。流刑地に行く前に殺されてしまうからです。

「流刑にする」ということは「法的保護の外に置く」ということです。だから、その罪人を殺そうが、拉致しようが、自由。中央政府としては処刑しにくい人間、例えば皇族であったり公家であったり、あるいは証拠不十分で死刑にできないときには、流刑ということにして法的保護の外に置いてしまう。すると、そうした人物には必ず敵対勢力がいますから襲ってくる。これもまた、合法化された一種の略奪です。

**松本**　いわば、私刑ですね。ただし、公権力は表向き我関せずでも、実際はそれを一定程度許している。

**茂木**　これと同じことが中世ドイツにありました。「アハト刑」です。アハトとは「絶対的平和喪失」という意味で、アハト刑に処せられた者は、国内におけるすべての法的権利や財産を剥奪されます。16世紀、宗教改革のマルティン・ルターが、時の神聖ローマ皇帝カール5世からアハト刑を受けています。「おまえはもう帝国の保護の外にいる。だからあとは知らん」と。

**松本**　カール5世は死刑を宣告したわけではない。「法の守りの外に置きますよ」とだけ言った――。日本の室町、戦国時代もちょうどその頃ですね。

**茂木**　古今東西、そういう慣習法があったのです。

## 「農民＝保守」「七人の侍＝リバタリアン」

**松本**　『七人の侍』という映画をリバタリアニズムの視点で見ると、リバタリアンと保守主義者が協力できたら、より大きな勢力になるのではないでしょうか？

**茂木**　『七人の侍』は、マルクス主義的な映画だとする人もいます。農民が搾取階級の武士と戦う映画である、という見方です。確かに黒澤明監督は共産主義にシンパシーを持っていたようですが、僕はそう解釈しません。

**松本**　マルクス主義では、7人の侍が浮かばれませんね。

**茂木**　農民たちが共同体を基盤にして、落ち武者狩りをやって武器を隠し持ち、自分たちの生活は自分たちで守ってきた。結局、7人の侍は臨時に雇われただけでした。用が済んだら「はい、さようなら」となる。だから、最後のセリフが「勝ったのは農民たちだ」ということなのです。『七人の侍』は、実は保守主義の映画だと思います。

**松本**　農民が、保守主義者ということでしょうか？

**茂木**　その通りです。そして、7人の侍がリバタリアンでしょう。

**松本**　言葉は悪いかもしれませんが、保守主義者から見てリバタリアンは使えるところもある、と言えるかもしれません。リバタリアンは、一人ひとりが強力ですから。そして、リバタリアンのほうも利用されているのは承知の上で、「一緒にやろう」という場面があったら、そのときには面白い協力関係ができるような気がします。

**茂木**　7人の侍を指導する立場の勘兵衛は、すべてをわかっていました。自分たちは農民に利用されている、と気づいていた上で手助けします。

**松本**　「カネのためじゃない、俺はそんなことでは立ち上がらない」というようなセリフもありました。黒澤監督の真意はともかく、『七人の侍』は、リバタリアニズムを理解する上でも観直したほうがよさそうですね。

**茂木**　リバタリアンと保守主義者は協力できるのか、というテストケースが描かれている稀有な映画が『七人の侍』だと思います。モノクロ映画で音声もよくないのですが、字幕スーパーがあれば問題ありません。日本映画史上の金字塔です。まだご覧になっていない方は、ぜひご覧ください。

〈了〉

## 講義を終えて ——ドゥーギン哲学と世界の多極化

いかがだったでしょうか？　茂木誠先生と私とで、現在の国際情勢を読み解くために必要な「歴史」と「哲学」を浮き彫りにしてみました。歴史&哲学というツールを使いながらの本講義が、みなさんの知的財産になれば幸いです。

講義を締めくくるにあたり、私から紹介しておきたいロシアの哲学者がいます。アレクサンドル・ドゥーギンです。ドゥーギンは1962年生まれで、ニーチェやハイデガーの研究から思索を始めた人物です。彼はプーチン大統領の思想上の側近であり、ウクライナ侵攻にも影響を与えたと言われています。

現代世界では哲学者が現実の政策に関わること自体、非常に稀なことですが、ドゥーギンはそんな哲学者の一人です。ロシアが独裁国家だから可能ということもあるでしょうが、おそらくドゥーギンとプーチンの間で強固な信頼関係があるのでしょう。

2023年7月現在、ドゥーギン著作の日本語訳はなく、英訳もほとんどない状況です。とはいえ、英語に練達するドゥーギン。さまざまな国際会議に出席し、英語で持論を展開していますので、私たちはドゥーギン哲学について大まかに知ることができます。しかも、それは本講義で取り上げた自由主義でも、社会主義でも、全体主義でもない「ユーラシア主義」とも言うべき哲学です。

国家は地理から逃れられないという現実を冷静に観察し、ロシアが長い国境線を有するユーラシア大陸に位置しているという事実から、ドゥーギンは論を起こします。当然、ロシアには西洋の影響だけでなく、アジアの影響があります。それは「タタールの軛（くびき）」(13世紀前半から16世紀まで続いた、モンゴル＝タタール人によるルーシ諸国＝現在のロシア、ウクライナの支配）を見れば明らかでしょう。アジアの影響だけでなく、イスラムの影響も強い。ロシア、そしてユーラシアは、西洋であって西洋でない、微妙な位置にあります。

ドゥーギンによれば、ロシアが取るべき道は自由主義でも、社会主義でも、全体主義でもありません。それらはすべて西洋由来のイデオロギーです。西洋のイデオロギーでなく、ドゥーギンは第4の道「ユーラシア主義」を提唱。ロシアを含め、ユーラシア地域が緩やかに同盟を結び、西洋に対抗しながら独自の幸福を目指そうという考え方です。

一見、20世紀の帝国主義と似て見えますが、もちろんドゥーギンはロシア帝国主義復活を唱えているわけではありません。ロシアが地域覇権を握ればいいと論じているわけでもありません。

そうではなく、それぞれの地域には歴史や伝統があり、何を幸福と思うかの基準もさまざまなのだから、それを尊重しようという当たり前の主張です。自由主義も、社会主義も、全体主義も、国境線を意識しない「普遍」哲学であるのに対し、ドゥーギンの主張は、まさに地域に根ざす保守の哲学なのです。

ドゥーギン哲学の単位は「国家」でなく「ユーラシア」つまり「地域」です。これを「極」と呼んでもいいでしょう。ドゥーギンは多極化した世界を目指していて、その意味では20世紀後半のポストモダン哲学をきちんと消化しているとも言えます。ロシアはユーラシアをまとめて極を形成するわけです。北米、欧州、中国、そしてユーラシア。これに南米、インド、アフリカ、イスラムも加わります。

ドゥーギンによると、米国と欧州は団結すればいい。NATO同盟もおおいにけっこう。けれど、それならユーラシアも似たような同盟をつくりますよ、ということ。なぜロシアがウクライナに侵攻しなければならなかったか、少しは見えてくるのではないでしょうか。

西洋に端を発する「普遍」や「啓蒙」にノーを突きつけ、それぞれの極が独自の道を歩くべきだという主張。ドゥーギン哲学は多極化を目指す哲学です。

冷戦後、アメリカの政治学者フランシス・フクヤマは『歴史の終わり』という書で、これからは大戦争が起きず、米国一極の世界が来るという予想をしました。一方、フクヤマの指導教官サミュエル・ハンチントンは「文明の衝突」を主張し、複数の文明が競合する世界を描き出しました。

もうおわかりですね。ドゥーギンはハンチントンの側に属する哲学者です。ハンチントンが描いた多極化した世界をユーラシアで推進しようとしているのです。

## 「人々」の声から政治は生まれる

もう一つ、ドゥーギン哲学の特徴として「人々」（ナロード）の声から政治は生まれるという主張があります。少数エリートによる設計でなく、政治家は「人々」の声を聞きながら、謙虚に政策を決めていくという方法です。

自由主義の単位は「個人」、社会主義の単位は「階級」、そして全体主義の単位は「国家」です。そのどの単位もドゥーギンは採用しません。それらでなく「人々」をこそ政治単位にしようと考えているのです。

思えば19世紀後半、ロシアでは「人々の中へ」というナロードニキ運動が起きました。当時、若いインテリが進んで農村へ入っていき、革新的な社会理論を説いてまわりました。ナロードニキ運動は弾圧され、長続きしませんでしたが、のちの社会革命党（ＳＲ／エス・エル）結成へとつながりました。ＳＲの分派がロシア革命を起こしたわけですから、ナロードニキ運動は世界史で無視し得ない役割を果たしたと言っていいでしょう。

ドゥーギンが「人々」を政治単位に据えていることは斬新であり、復古でもあります。

ウクライナ侵攻から1年半になろうとしている今、ロシアで目立った民衆暴動ひとつ起きていないことは、プーチンによるウクライナ侵攻が、ある程度「人々」の声であることの証左でしょう。

2022年夏、日本の参議院選挙で話題をさらった新しい政党・参政党。この党も「人々」が政治に参加し、「人々」の声が政治に届くことを第一に掲げる保守政党です。実は参政党とドゥーギン哲学には大きな親縁性があり、今後、参政党が党としての哲学を練り上げていく過程で、遅かれ早かれ、ドゥーギン哲学に接近していくだろうと私は予想しています。

私たちはもう誰か賢い人が決めた「普遍ルール」に従うことをやめ、それぞれの「極」が歴史と伝統に基づいた基準をつくり、政策を提言し、国家や地域の運営を行う時期にきています。「時間性」を大事にしながら、世界と喧嘩せずに「極」を運営していく

――そんなイメージです。

「世界と喧嘩せずに」と言いながらも、ロシアは今、ウクライナに侵攻し、米国や欧州を敵にまわしています。ドゥーギンに言わせれば、数十年交渉を重ねても、NATOがロシアとの約束を破り、ロシアに脅威を与え続けてきたのだから仕方ないとなるのでしょう。こうした主張をするドゥーギンの哲学は、今の日本人には受け入れにくいかもしれません。

＊

保守主義の危うさをドゥーギンは体現しているとも言えます。ハイデガーがナチスに参加したように、ドゥーギンもウクライナ侵攻を支持しています。ですから、保守主義を手放しで賞賛することはできません。

ですが近現代史を考えるとき、ドゥーギンはハイデガーと並び、最も参照すべき哲学者です。彼の主張を鵜呑み（うの）にする必要はありません。ウクライナ侵攻を見れば、とてもドゥーギンに賛成できない、そんな意見もあっていいでしょう。実際、ドゥーギンはウクライナに関する過激な言動により、モスクワ大学教授を罷免されてもいます。

ただし、彼が唱える「第4の政治理論」、そして「ユーラシア主義」は聞くに値します。〝世界の多極化〟という考え方にみなさんの注意を喚起し、本講義を終えることにしましょう。

松本誠一郎

# おわりに

20世紀の前半は「世界恐慌」という経済危機をきっかけとして、「全体主義」が世界を覆いました。ドイツ・イタリア型のそれを「ファシズム」と呼び、ロシア型のそれを「共産主義」と呼んで第二次世界大戦まで引き起こしたのですが、どちらも一党独裁の全体主義でした。

大戦の結果、一方は滅びますが、他方は生き残って東欧から中国、北朝鮮、東南アジア、中東や中南米諸国にまで増殖しました。

この共産主義陣営に対する欧米側の勝利が、冷戦終結とソ連崩壊だったはずです。

それから30年、世界は自由で平和になったでしょうか？

残念ながら、21世紀は新たな全体主義の時代といえそうです。ユーラシア大陸では強権的な国家が再び覇権を握り、アジア・アフリカ諸国を従えつつあります。

民主主義を掲げてきた欧米の凋落は目を覆うばかりです。

さらに深刻なのは、欧米諸国の内部で政府がビッグテック（大手ＳＮＳ）と手を握って情報をコントロールしつつあることで、新型コロナ・パンデミック対策とデジタル化がその口実に使われたことです。

確かに選挙は行われ、民主主義が機能しているかに見えますが、国民が判断を下すための情報を少数者がコントロールしており、それは大手メディアのみならず、ツイッターなどのＳＮＳでもＡＩ技術を駆使した検閲が行われていたことが、明らかになりつつあります。

このようなデジタル全体主義に対する抵抗の狼煙はすでに各国で上がっており、日本人でも「何かがおかしい」「誰がこの国を支配しているのか？」と目覚める人が、日に日に増えつつあります。数年後にこれは、大きな運動になっているでしょう。

〝いまの世界〟を理解する上で、この3つのキーワード、
**全体主義・リバタリアニズム・保守主義**
を理解することがいかに重要か――、本書をお読みいただければおわかりになったで

しょう。

考え、そして行動する——。未来は、僕らが変えるのです。

2023年7月　安倍晋三元首相の一周忌に

茂木 誠

**茂木誠**（もぎ・まこと）
東京都出身。駿台予備学校、ネット配信のN予備校で大学入試世界史を担当。東京大学など国公立系の講座を主に担当。世界史の受験参考書のほかに、一般書として、『超日本史』（KADOKAWA）、『「戦争と平和」の世界史』（TAC出版）、『バトルマンガで歴史が超わかる本』（飛鳥新社）、『保守って何？』（祥伝社）、『グローバリストの近現代史』（共著、ビジネス社）『ジオ・ヒストリア』（笠間書院）、『政治思想マトリックス』『日本思想史マトリックス』（PHP研究所）ほか多数。YouTube「もぎせかチャンネル」でも発信中。

**松本誠一郎**（まつもと・せいいちろう）
兵庫県出身。東京外国語大学フランス語科卒業。同大学院修了。Z会東大進学教室の英語講師として教壇に立ち、多くの塾生を有名大学に進学させる。現在は独立し、オンライン講師として中高生だけでなく、社会人をも対象とした授業を展開。分野も受験指導から英検対策、論文作成、企業プレゼン文書作成など多岐に亘る。2016年からYouTubeで「ゆめラジオ」チャンネルを主宰。政治や経済はもちろん哲学、宗教、文学、歴史、そして社会学を扱う。2023年9月現在、チャンネル登録者数1万6000人。Twitter、Instagramなどさまざまな媒体で発信中。

マガジンハウス新書 019
“いまの世界”がわかる哲学&近現代史
プーチン、全体主義、保守主義

2023年9月28日　第1刷発行

著　者　茂木誠　松本誠一郎
発行者　鉄尾周一
発行所　株式会社マガジンハウス
〒104-8003　東京都中央区銀座 3-13-10
書籍編集部　☎03-3545-7030
受注センター　☎049-275-1811

印刷・製本／中央精版印刷株式会社
ブックデザイン／TYPEFACE（CD 渡邊民人、D 谷関笑子）
編集協力／尾崎克之


ISBN978-4-8387-7520-0 C0222